EET GEWOON!

FRANS DE JONG

EET GEWOON!

**Eet gezonder, voel je fitter,
word slanker in 30 dagen**

FONTAINE UITGEVERS

INHOUD

VERANTWOORDING

In mijn actieve carrière in het bedrijfsleven deed ik onderzoek naar de voedingswaarde van voedingsmiddelen en adviseerde het bedrijfsleven over kwaliteitszorg en hygiëne bij de productie ervan. Het verbaasde mij telkens weer hoe weinig kennis mensen hebben over voedsel. Je zou bijna denken dat we ons niet realiseren dat we voedsel nodig hebben om te overleven, en ook niet beseffen dat de kwaliteit van ons eten mede bepaalt of we gezond en fit blijven. Dat heeft me ertoe aangezet om na mijn werkzame leven te gaan schrijven over voeding.

In mijn boeken *Ons Voedsel* en *Ons Voedsel in getallen* heb ik getracht alle beschikbare kennis over ons voedsel bijeen te brengen en om te zetten in toegankelijke informatie. Ik denk dat ook het gestuntel met diëten en de frustratie die daarmee gepaard gaat, voortkomen uit een gebrek aan kennis. Met dit boek hoop ik inzicht te verschaffen in hoe ons lichaam en onze geest met het aangeboden voedsel omgaan en de lezer te overtuigen van het belang van goede voeding en een gezonde levensstijl.

INLEIDING

We raken maar niet uitgepraat over diëten. Het lijkt alsof iedereen lijnt, net heeft gelijnd of het op zijn lijstje met (goede?) voornemens heeft staan. Op het weer na is afvallen wellicht het meest besproken onderwerp op feestjes en andere gelegenheden waar oeverloos gezwetst wordt met pseudowetenswaardigheden. En net als bij het weer geldt dat de voorspellingen vaak rooskleuriger zijn dan de uitkomst.

Is er dan überhaupt nog behoefte aan een zoveelste boek over lijnen? De boekwinkels puilen nu al uit van werken die op ons gevoel spelen of ons zelfs gebieden iets te doen aan ons (over)gewicht. Met verleidelijke titels, loze beloftes en uitgekiende marketingstrategieën strooien ze ons zand in de ogen.

In onze drang om slank te blijven, slurpen we er gezwind kilo's af met soepjes, sapjes en andere vloeibare nonsens. We ruilen onze dagelijkse kost in voor babyvoeding en we mengen synthetische poedertjes als waren we astronauten. We proppen ons vol met appels tot we er een punthoofd van krijgen. We gaan zelfs lustig aan het infuus hangen voor een dieet dat louter uit sondevoeding bestaat. Kan het nog gekker?

Juist vanwege deze niet aflatende stroom lariekoek over diëten is er dringend behoefte aan een boek dat álle andere boeken over diëten overbodig maakt. *Eet gewoon* is geen dieetboek dat wonderen belooft, maar zet eenvoudig uiteen wat verantwoord eten is. Het biedt inzicht, geeft houvast en is een leidraad voor een gezond eet- en leefpatroon. Wie gezond eet, normale porties tot zich neemt en een aantal simpele leefregels hanteert, verliest op de lange termijn overtollige kilo's.

Het begrip 'lange termijn' is hier cruciaal. Een dieet is bijna altijd gericht op snel resultaat. De weegschaal beheerst gedurende weken of maanden je dagelijks leven. Je verliest kilo's zolang je strikte regels hanteert, maar die zijn onmogelijk vol te houden. Je neemt jezelf en je lichaam in de maling. Ondanks alle theorieën en door dieetgoeroes en hun aanhangers gemelde successen, blijken de meeste diëten – op de lange termijn – slechts in 5 % van de gevallen succesvol.

Eigenlijk weten we allemaal hoe het wél moet: minder eten en meer bewegen. Waarom doen we dat dan niet? Hier raken we precies de kern van het probleem. Er spelen ook mentale, emotionele en spirituele zaken mee. In *Eet gewoon* komen alle aspecten van overgewicht aan bod. Het geeft je de handvaten en argumenten om je leven zó in te richten dat je je mentaal en lichamelijk beter voelt. En 'along the way' nog kilo's kwijtraakt ook.

Eet gewoon kiest voor een benadering die besloten ligt in de historische verklaring van het woord dieet, dat is afgeleid van het Latijn *diaetea* ('manier van leven') en het Griekse *diaita* ('leefregels'). Een dieet is in deze context niet iets wat je een paar weken of maanden volhoudt, maar voor de rest van je leven. Ik spreek daarom liever niet van diëten of het volgen van een dieet, maar van het veranderen van je leefpatroon.

Dat je dit boek hebt gekocht betekent dat je je gezondheid op de eerste plaats wilt stellen. Je bent het zat om je steeds maar ziek, zwak en misselijk te voelen. De Amerikanen zeggen het nog mooier: 'You're sick and tired of being sick and tired.' Zet alle excuses aan de kant, ga ervoor en geef jezelf de tijd. Wat er in jaren is aangekomen, kan er niet in een paar weken weer af zonder gezondheidsschade. Meestal word je te dik omdat je gedurende een lange periode te veel hebt gegeten en te weinig bewogen. Je zou dus vanzelf moeten afvallen als je over een langere periode weinig zou eten en meer zou bewegen. Zo simpel zou het kunnen zijn. Maar we zijn allemaal gevoelig voor de beloftes van de afslankindustrie en de aandacht die de media aan het onderwerp besteden. Ergens hopen we dat afvallen gemakkelijk kan gaan. Dat we ons eetgedrag nauwelijks hoeven te veranderen en toch slank worden. We weten dat wondermiddelen niet bestaan, maar we blijven ze toch kopen. De ene hype is nog niet voorbij, of we kijken al reikhalzend uit naar de volgende methode om snel en moeiteloos af te vallen.

Zogenaamde wonderdiëten werken niet omdat ze tekortschieten in een gevarieerd en uitgebalanceerd voedingspatroon – en dat is noodzakelijk voor een goede gezondheid. Om op een gezonde manier en op langere termijn gewicht te verliezen, moet je dus je eetgewoontes en je leefpatroon veranderen. Dat betekent echter niet dat je je hele leven hoeft te veranderen.

Eet gewoon wijst je de weg naar een gezonde manier van leven, met als bijkomend voordeel een regelmatig, maar zeker gewichtsverlies. De voedingswetenschap helpt ons daarbij, door te vertellen wat een gezonde manier van eten is. Sinds de jaren vijftig komen welvaartsziektes als hart- en vaataandoeningen, hoge bloeddruk, overgewicht, tandbederf, sommige soorten kanker en diabetes veel vaker voor. Deze hangen samen met een verandering in ons voedingspatroon. Omdat de mens blijkbaar niet instinctief voor de juiste voeding kiest, is voorlichting cruciaal. We hebben eenvoudige richtlijnen nodig om de juiste keuzes te maken – en dat is precies wat *Eet gewoon* biedt.

OPMERKINGEN BIJ DE RECEPTEN:

- De recepten zijn berekend voor 1 persoon, tenzij anders is aangegeven.
- De in dit boek gebruikte eetlepels zijn afgestreken en hebben een inhoud van 15 ml, de dessertlepels van 10 ml en de theelepels van 5 ml. Gebruik bij voorkeur genormaliseerde maatlepels met een inhoud van 15, 10, 5 en 2,5 ml, die als set bij kookwinkels verkrijgbaar zijn.
- De eieren zijn middelgroot, kruiden en specerijen vers en de boter ongezouten.
- Bloem is de gewone, ongebleekte tarwe-bloem, zoals die ook in de supermarkt verkrijgbaar is.

HOOFDSTUK 1

WAAROM WORDEN WE DIK?

INLEIDING

Wanneer zijn we eigenlijk dik geworden? Of zijn we altijd al dik geweest? Hoewel de geschiedenis ons leert dat overgewicht van alle tijden is, was vroeger maar een enkeling te zwaar naar onze huidige maatstaven. En vaak drukte dat dikzijn grote rijkdom, welvaart en macht uit. Kijk maar naar afbeeldingen van keizer Nero, koning Hendrik de Achtste of staatsman Winston Churchill – stuk voor stuk invloedrijke en gezaghebbende 'dikkerds'. Ook vrouwen mochten vroeger mollig zijn. In schilderijen van beroemde meesters als Rembrandt en Rubens zien we dat volslanke vrouwen ooit hét schoonheidsideaal waren. Vrouwen moesten ronde vormen hebben, een goed gevuld achterste, ronde heupen en volle borsten. Brillat-Savarin schreef in 1826 in zijn beroemde boek *Physiologie du goût* (*Het wezen van de smaak*) dat mager zijn zelfs een groot nadeel was voor een vrouw. Vrouwelijke schoonheid komt immers tot uiting in de zachte ronding van haar vormen en de vloeiende lijnen van haar figuur. Het geheim van beter gevulde rondingen schuilt in passende voeding. Als honger op de juiste manier wordt gestild, krijg je niet alleen het nodige binnen, maar ook voldoende om de gewenste rondingen te vormen, aldus Brillat-Savarin.

Het slanke schoonheidsideaal dat we nu met z'n allen nastreven bestaat nog niet zo lang. Pakweg tweehonderd jaar geleden – voor de industriële revolutie – ging bijna niemand op dieet. Het was gewoonweg niet nodig. Wat is er veranderd sinds die tijd? Vroeger woonden we dicht bij ons werk en konden we er op de fiets naartoe; nu is de afstand groter en moeten we met de auto. Het werk zelf was nog niet verregaand gemechaniseerd of geautomatiseerd. Arbeid vroeg dus meer lichamelijke inspanning. Ook de huisvrouw beschikte nog niet over hulpmiddelen zoals een wasmachine, vaatwasmachine en allerlei keukenapparatuur.

Behalve de mate waarin we ons fysiek moesten inspannen, veranderde ook ons dieet. Er werd minder brood gegeten. Door de lagere broodconsumptie en de verbeterde landbouwmethoden ontstond er een overschot aan granen. Die werden daarom verwerkt in andere producten, zoals peperkoek en andere 'gezonde' tussendoortjes.

We werden aan het begin van de industrialisatie nog niet beïnvloed door de allesoverheersende media. Zelfs aan het begin van twintigste eeuw waren ronde heupen en volle borsten nog altijd het schoonheidsideaal. Zogenaamd volslanke types als Marilyn Monroe, Sophia Loren en Elisabeth Taylor waren begeerlijke rolmodellen. Hoe anders denkt men er nu over…

Halverwege de jaren zestig veroorzaakte de Engelse mode-industrie een kentering in het schoonheidsideaal, met het uiterst dunne model Twiggy – letterlijk: twijgje. Op dieet gaan werd mode, gewicht een obsessie. Vreemd genoeg worden we sindsdien alleen maar dikker – althans, de westerse mens. De drang om te lijnen is trouwens bijna uitsluitend een westers verschijnsel. Vele miljoenen mensen op de wereld, die ver van de westerse invloeden leven, eten goed en veel en worden oud, maar niet dikker naarmate ze ouder worden. In ontwikkelingslanden worden mensen alleen dik als ze van het platteland naar de stad verhuizen en daar een min of meer westerse levensstijl en dito voedingspatroon ontwikkelen.
Een belangrijke oorzaak van vetzucht is dan ook het grote verschil in het voedsel dat we nu eten ten opzichte van pakweg tweehonderd jaar geleden. Dat heeft niet zozeer te maken met de kwantiteit – vroeger aten we zelfs meer – maar wel met de kwaliteit. We eten veel meer bewerkt voedsel, boordevol verborgen vetten en suikers. Vooral de toename van het nuttigen van bewerkte koolhydraten (lees: suiker) speelt een belangrijke rol.

DE CALORIE ALS DIKMAKER

Om te kunnen begrijpen waarom we dik worden, is enige basiskennis nodig over hoe je lichaam omgaat met het aangeboden voedsel. Het begrip 'calorie' speelt daarbij een belangrijke rol. De calorie is de eenheid van warmte waarin de energiebehoefte van de mens wordt uitgedrukt. Voor je lichaam is de chemische energie de belangrijkste vorm van energie. Elke stof op aarde bevat chemische energie. Zitten we 's avonds rond het kampvuur, dan is het lekker warm en licht. Bij de verbranding van hout komt de energie die erin opgeslagen zit vrij in de vorm van warmte en licht (vlammen). Als maat voor de hoeveelheid energie in de vorm van warmte, zouden we eigenlijk de 'joule' moeten gebruiken: de in 1977 internationaal afgesproken eenheid voor energie, genoemd naar de grondlegger van de warmteleer James Prescott Joule. Om de energiebehoefte van het menselijk lichaam uit de drukken, hanteert men doorgaans de meer ingeburgerde eenheid calorie (calor betekent: 'warmte').

DE VOEDINGSWAARDE

De voedingswaarde van een voedingsmiddel wordt bepaald door de verscheidenheid, de hoeveelheid en de onderlinge verhouding van de voedingsstoffen die het bevat. Momenteel zijn ongeveer vijftig stoffen bekend die onmisbaar zijn voor een goede werking van het lichaam. De meeste daarvan maken we niet of in onvoldoende mate zelf aan. We hebben dus goede voeding nodig om ons lichaam gezond te laten functioneren.

Voedingsstoffen worden onderverdeeld in twee categorieën: voedingsstoffen die energie leveren – eiwitten, koolhydraten, vetten en alcohol – en voedingsstoffen die bouwstenen of hulpstoffen leveren die nodig zijn om alle belangrijke lichaamsprocessen op de juiste manier te laten verlopen. De bekendste voorbeelden van bouw- en hulpstoffen zijn vitamines en mineralen.

In het lichaam worden de voedingsstoffen afgebroken tijdens het spijsverteringsproces. De hoeveelheid energie die daarbij vrijkomt, is voor de verschillende voedingsstoffen als volgt:

- 1 gram koolhydraat levert gemiddeld 4 kcal (17 kJoule) aan energie *)
- 1 gram eiwit levert gemiddeld 4 kcal (17 kJoule) aan energie
- 1 gram vet levert gemiddeld 9 kcal (37 kJoule) aan energie
- 1 gram alcohol levert gemiddeld 7 kcal (29 kJoule) aan energie
- 1 gram voedingsvezel levert gemiddeld 2 kcal (8 kJoule) aan energie.

*) Alle genoemde energiewaardes zijn gemiddelden. De gehanteerde gemiddelden zijn in de jaren vijftig opgesteld op basis van onderzoek van een gemiddeld voedingsmiddelenpakket, en vastgelegd in internationale afspraken.

Voor het lichaam doet het er niet toe welke voedingsstoffen als energiebron dienen. Calorisch gezien kunnen ze elkaar volledig vervangen. De verschillende stoffen vervullen echter ook nog andere taken dan louter energielverantie. Ons lichaam heeft namelijk verschillende soorten brandstof nodig. Net zoals een auto op benzine loopt, 'loopt' de mens het liefst op koolhydraten. Want de energie uit koolhydraten benutten we sneller dan de energie uit vet. Pas wanneer de energievoorraden uit koolhydraten en vet zijn uitgeput, wordt eiwit aangesproken als brandstof – dit is een ongewenste situatie die gepaard gaat met de afbraak van lichaamsweefsels. Dit

betekent dus dat de verhouding van de verschillende energieleverende voedingsstoffen in onze voeding cruciaal is.

Het is dus belangrijk dat we in onze voeding een goede balans vinden tussen de hoeveelheid kilocalorieën die we opnemen en de hoeveelheid die we voor onze manier van leven nodig hebben. Voor iemand die fysieke arbeid verricht kan dat 3000 à 3500 kcal per dag zijn, terwijl dit voor iemand met een zittend beroep eerder 2000 à 2500 kcal per dag is. Dit is dus het punt waarop het vaak misgaat.

DE VERSTOORDE ENERGIEBALANS

Overgewicht is in de meeste gevallen terug te leiden tot een verstoorde energiebalans. Er wordt gedurende een langere periode meer energie (calorieën) opgenomen dan verbruikt. Met andere woorden: we eten meer dan ons lichaam nodig heeft. Of we eten te veel en bewegen te weinig.

Tot het begin van de vorige eeuw was de gemiddelde calorie-inname 2500 à 3000 kcal per dag. De toenmalige fysieke activiteit maakte deze hoeveelheid noodzakelijk. Mannen fietsten of wandelden naar het werk. De auto was nog geen gemeengoed. Het werk was intensiever. Kortom, er was méér lichamelijke inspanning nodig. Ook in het huishouden beschikte men nog niet over hulpmiddelen die het werk lichter maakten.

Bovendien zorgde een vrouw voor meer kinderen dan tegenwoordig. Uit oude tabellen blijkt dat een vrouw met een gemiddeld huishouden ongeveer 2700 kcal verbruikte. Tegenwoordig definieert men dat verbruik als middelzware arbeid, vergelijkbaar met beroepen als glazenwasser of verpleegkundige.

Eten bestond vroeger uit drie hoofdmaaltijden per dag, telkens op vaste tijden. Tussendoor werd niet of nauwelijks gegeten. Een koekje bij de koffie was een feest. Werkende mannen en schoolgaande kinderen kregen een gezonde, goedgevulde broodtrommel vol gezonde voedingsmiddelen mee van thuis. De verleidingen van de bedrijfs- en schoolkantine bestonden niet. Zo bestond er een evenwicht tussen de energie-inname en het energieverbruik.

Hoe anders is het nu… Het ontbijt wordt steeds vaker overgeslagen. Beide ouders gaan uit werken. En het broodtrommeltje van de kinderen wordt snel gevuld met voorverpakte gemaksvoeding. En zelfs als plichtsbewuste ouders het broodtrommeltje tóch vullen met bruine boterhammen en fruit, dan gooien de kinderen vaak zelf de gezonde kost weg om zichzelf op snoep en snacks te trakteren.

De huidige generatie kinderen beweegt ook steeds minder. Ze zitten de hele dag gezapig voor de tv of spelen computergames, in plaats van buiten te zijn en te bewegen. Ook op de basisschool wordt minder aandacht besteed aan lichamelijke beweging ten opzichte van vroeger. De gymnastiek- en zwemlessen zijn op vele scholen wegbezuinigd. Dit alles gaat ten koste van de gezondheid van onze jeugd.

Omdat we minder dan drie voedzame maaltijden per dag gebruiken, hebben we steeds vaker honger en eten we te vaak en te veel tussendoor. We 'grazen' als koeien, de hele dag door. Meestal doen we dat niet eens omdat we honger hebben, maar gewoon om de lekkere trek te stillen, uit verveling of voor de gezelligheid.

Conclusie: we eten te veel, we eten verkeerde dingen op verkeerde tijdstippen, en we bewegen te weinig. De gemiddelde Nederlander verorbert tegenwoordig circa 3400 kcal per dag, terwijl hij maar 2000 à 2500 kcal nodig heeft. Het evenwicht tussen energie-inname en energieverbruik is compleet zoek. De energiebalans is verstoord. Heb jij ook een onbedwingbare behoefte om iets te snoepen of te snacken? Verzin dan een afleidingsmanoeuvre. Neem een douche, bel een vriendin, ga wandelen of winkelen.

GRAZEN

Grazen komt voort uit de aandrang om een bepaald soort voedsel te willen eten – van chocolade of een patatje, tot chips. De belangrijkste oorzaak van die drang, dat intense gevoel, is dat bepaalde hormonen (de hongerhormonen, zie blz. 22 e.v.) uit balans zijn. Hierdoor ontstaat in ons lichaam een tekort aan voedingsstoffen zoals vitamines en mineralen.

Grazen heeft een belangrijk psychologisch aspect: de aandrang om te grazen is zo sterk dat je het tóch doet, ondanks dat je geen honger hebt en weet dat het slecht is en dat je er achteraf flink spijt van zult hebben. Grazen is de voornaamste oorzaak van overeten en overgewicht.

WAAR BLIJVEN AL DIE OVERTOLLIGE CALORIEËN?

Jammer genoeg kent ons lichaam geen systeem om overtollige calorieën met de ontlasting uit te scheiden, zoals het dat met sommige vitamines wel doet. Het teveel aan calorieën wordt als energiereserve in het lichaam opgeslagen in de vorm van vet. Hoeveel vet er wordt opgeslagen verschilt per persoon. Het lichaam van een gezonde volwassen man bestaat voor ongeveer 15 % uit vetweefsel. Bij een gemiddeld gewicht van 75 kilo komt dat neer op 11 kilo vet. Bij vrouwen bestaat het lichaam uit 25 % vetweefsel ofwel 15 kilo vet bij een gemiddeld lichaamsgewicht van 60 kilo.

Ten opzichte van mannen hebben vrouwen meer enzymen die de opslag van vet bevorderen en juist minder enzymen die het depotvet afbreken voor de energievoorziening. Dit verklaart voor een groot deel waarom vrouwen doorgaans meer moeite hebben met afvallen en het juiste gewicht aanhouden dan mannen. Brute pech.

DE OPSLAG VAN VET

De aanmaak van vetcellen vindt plaats vanaf de geboorte. Zodra we stoppen met groeien, stopt ook de aanmaak van nieuwe vetcellen. Maar de opnamecapaciteit van vetcellen is enorm. Als we te veel eten, worden de bestaande vetcellen groter; vallen we af, dan verkleinen ze. Het opslaan van vet in ons lichaam is een natuurlijk mechanisme: uit lijfsbehoud reserveert het energie voor slechtere tijden. De dikste man ter wereld uit de medische geschiedenis was de Amerikaan – hoe kan het ook anders...– Jon Brower Minoch (1941-1983). Op zevenendertigjarige leeftijd werd hij opgenomen in het ziekenhuis met een geschat gewicht van maar liefst 635 kilo!

Mannen en vrouwen worden op verschillende manieren dik. Bij vrouwen zit het meeste vetweefsel doorgaans net onder de huid op de heupen, bovenbenen en billen. Daar wordt de overtollige energie – gestimuleerd door het vrouwelijke hormoon progesteron – als vet opgeslagen. Dit heet de peervormige vetverdeling. Daarentegen wordt bij mannen het reservevet dieper in het lichaam opgeslagen, in de buikholte en rond de inwendige organen, onder invloed van het mannelijke hormoon. We noemen dit de appelvormige vetverdeling. In Amerika heet dit ook smalend het *spare tyre* type (reserveband, Michelinmannetje). Als de verhouding tussen de omtrek van de heupen en de taille groter is dan 1 bij mannen en groter dan 0,85 bij vrouwen, spreken we ook van een appelvormige vetverdeling.

Tailleomtrek in relatie tot hart- en vaatziekten

risico	omtrek taille mannen	omtrek taille vrouwen
geen verhoogd risico	79 - 94 cm	68 - 80 cm
1,5 - 2 keer hoger	94 - 102 cm	80 - 88 cm
2,5 - 4 keer hoger	> 102 cm	> 88 cm

Hoe groter de omtrek van de taille, hoe groter de gezondheidsrisico's. Mannen moeten zich zorgen maken als de omtrek van hun taille meer dan 102 cm bedraagt; vrouwen als die meer dan 88 cm is. Onderzoek wijst ook uit dat de plaats waar het vet zich ophoopt een belangrijke invloed heeft op gezondheidsrisico's. De appelvorm brengt grotere gezondheidsrisico's met zich mee dan de peervorm. Mensen met een appelvormige vetverdeling hebben een sterk verhoogd risico op hart- en vaatziekten en drie van de belangrijkste risicofactoren: hoge bloeddruk, diabetes type II en hoge vetgehalten in het bloed. Bij vrouwen met overgewicht wijst onderzoek in de richting van een verhoogd risico op borst- en baarmoederhalskanker.

DE BELANGRIJKSTE OORZAKEN

De belangrijkste oorzaak van overgewicht kennen we al: we eten meer dan ons lichaam nodig heeft en daarmee verstoren we onze energiebalans – zo simpel is het. We slaan de wijze raad van de Griekse wijsgeer Socrates in de wind: 'Men moet eten om te leven en niet leven om te eten.'
Maar waarom doen we dat? Waarom eten we niet gewoon wat ons lichaam nodig heeft? Waarom neemt ons lichaam daar geen genoegen mee?

Hoe ingenieus de machine van ons lichaam ook is, op het vlak van voeding werkt het verre van optimaal. Ons verstand mag dan het verschil tussen een dieet en hongersnood heel goed kennen, maar ons lichaam kent dat niet. Als we op dieet gaan, activeren we het mechanisme dat ons in leven wil houden in tijden van honger: ons lichaam beschermt automatisch de vetvoorraden, de stofwisseling vertraagt, en slaat vet op als het maar even de kans krijgt, zodat die vetvoorraden in periodes van schaarste aangesproken kunnen worden. Denk maar aan een ijsbeer die zich volvreet om zijn winterslaap te overleven.
Het menselijk lichaam weet echter niet dat we geen winterslaap houden en dat voedselschaarste in onze contreien zelden voorkomt. De natuurlijke drang om te overleven is zo groot dat elke overtollige calorie als vet wordt opgeslagen in plaats van uitgescheiden.

We hebben tot op zekere hoogte invloed op de hoeveelheid energie die we verbruiken, want we kiezen voor een bepaalde levensstijl en daaraan past ons lichaam zich aan. Zo heeft iemand die zwaarlijvig is meer energie nodig om dezelfde activiteiten uit te voeren als iemand die weinig weegt en een vergelijkbare levensstijl heeft. Iemand die afvalt verbruikt minder energie en heeft daarna minder voedsel nodig – gewoonweg omdat hij nu eenmaal lichter is.

Als je lang bent, heb je meer voedsel nodig dan iemand die klein is, want een groter lichaamsoppervlak laat meer hitte ontsnappen. Iemand met veel spierweefsel, iemand die regelmatig sport of fysiek werk doet bijvoorbeeld, verbruikt meer energie omdat spierweefsel actiever is dan vetweefsel. Hoe groter het percentage vetvrij weefsel, hoe meer energie het lichaam nodig heeft. En omgekeerd geldt dus ook: hoe meer vetweefsel, hoe minder energie het lichaam vereist.

IS HET DE SCHULD VAN ONZE OMGEVING?

Culturele en sociale factoren spelen een belangrijke rol bij het eetgedrag. We eten graag voor de gezelligheid. Er is altijd wel iemand jarig die op gebak trakteert. We vinden altijd wel een excuus of een reden om te eten. Eten is in de meeste culturen een belangrijke sociale gebeurtenis en eten delen straalt gastvrijheid uit. We eten dus te vaak en te overdadig. Wie neemt nog genoegen met dat ene koekje bij de koffie? De ganse trommel moet eraan geloven! Wie beperkt zich

nog tot een handjevol chips? We vreten gewoon de hele zak leeg! Nóg iets dat veel voorkomt: we gunnen onszelf te weinig tijd om in alle rust een gezamenlijke maaltijd te nuttigen. Het moet allemaal snel en gemakkelijk. Dit werkt snack- en snoepgebruik in de hand en daarmee het opnemen van overbodige en lege calorieën, en de opslag van overtollig vet in onze reserves.

IS HET DE SCHULD VAN ONZE HERSENEN?

Waarom worden sommige mensen snel dik terwijl anderen veel kunnen eten zonder aan te komen? Een aantal factoren helpt dit te verklaren: de fysieke bouw, de geestestoestand, de leefomstandigheden, de gezondheidstoestand en het activiteitsniveau. Sommige van deze factoren kunnen we veranderen, andere spijtig genoeg niet.

Laboratoriumonderzoek met ratten toont aan dat ze bij een vrije keuze van voedsel zorgvuldig datgene kiezen wat ze nodig hebben om lichamelijk in optimale vorm te blijven. De rat maakt die keuze instinctief. De mens, daarentegen, is veel minder goed in staat om instinctief de juiste voeding te kiezen. Onze reuk en smaak waarschuwen ons als er iets mis is met het voedsel, maar de signalen zijn zwak. Het gebeurt maar al te vaak dat we ziek worden omdat we bedorven voedsel hebben gegeten.

En ook al geeft ons lichaam ons signalen, dan nóg zijn de hersenen niet altijd in staat ze te vertalen. Alle bekende ziektebeelden als gevolg van een vitaminegebrek zijn daar voorbeelden van. Denk maar aan beriberi door gebrek aan vitamine B1, scheurbuik door gebrek aan vitamine C en blindheid als gevolg van een tekort aan vitamine A. Ons natuurlijke instinct laat ons in deze gevallen in de steek, maar ook onze kennis laat het vaak afweten. Met de opkomst van de voedingsleer als wetenschap, vanaf het begin van de twintigste eeuw, is die kennis gelukkig sterk verbeterd.

Signalen die het lichaam wél geeft, zijn het honger-, dorst- en verzadigingsgevoel. Stop, we zitten vol! Erg zorgvuldig gaat ons lichaam niet om met deze signalen: zo krijgen we pas dorst als het voor het lichaam eigenlijk al te laat is. En we voelen ons pas verzadigd als we al te veel hebben gegeten. Dit komt doordat lichaamssystemen die het honger- en verzadigingsgevoel reguleren, sneller reageren op eiwitten en koolhydraten dan op vetten. Bij vette maaltijden treedt het verzadigingsgevoel daardoor te laat op. We werken zonder blikken of blozen een frikandel speciaal, een patatje mét en een kaassoufflé naar binnen. Dat komt overeen met ongeveer 1500 kcal, ofwel 75 % van wat we dagelijks nodig hebben. Als we voortdurend te veel eten, komt ons verzadigingsgevoel steeds te laat of laat het zelfs helemaal afweten.

Afgezien van het hongergevoel dat de maag afgeeft als we voedsel nodig hebben, hebben we ook een emotionele drang om te eten. Vaak staat onze psyche gezond en voldoende eten in de weg. We reageren stress, frustratie, verveling, onverwerkt verdriet, eenzaamheid en depressiviteit af door overmatig eten en drinken. Omdat deze emoties vaak lange tijd aanhouden, heeft dat een funeste invloed op ons eetgedrag.

Onze geestelijke en emotionele toestand en onze fysieke gezondheid beïnvloeden ook de snelheid waarmee ons lichaam functioneert. De hersenen spelen een bepalende rol omdat zij ons eetgedrag aansturen en regelen. Eten geeft voldoening en staat daarmee op dezelfde lijn als alcohol en drugs. Het kan verslavend werken en leiden tot overeten. Chocolade en chips zijn bekende producten in het rijtje van verslavende voedingsmiddelen.

De geestestoestand waarin we verkeren definiëren we als 'high' of 'low' (down). High is een gemoedstoestand als opgetogenheid of opwinding – een toestand die meer energie vereist van het lichaam, waardoor we meer kcal verbruiken. Mensen die zich down (gedeprimeerd) voelen, worden gemakkelijker dik. Niet zozeer omdat ze meer eten, maar wél omdat de hoeveelheid die ze eten gewoon te veel is in deze specifieke situatie. Een depressie deprimeert letterlijk de hoeveelheid energie die het lichaam nodig heeft. De gewichtstoename die daarvan het gevolg is, is moeilijk kwijt te raken. Voedsel waarbij je je goed voelt, verlaagt je stressgevoel en houdt het cortisolniveau – het stresshormoon – in je bloed laag. Een hoog cortisolgehalte stimuleert de trek en veroorzaakt vetophoping en verlies van spiermassa.

VAN TREK WORD JE DIK!

We eten zowel bij honger als bij trek, maar er is een belangrijk verschil tussen beide begrippen. Honger is een fysiologische reactie, een instinctief overlevingsmechanisme van het lichaam. Het zorgt ervoor dat we voldoende brandstof (voedsel) binnenkrijgen voor de noodzakelijke lichaamsfuncties. Bij een laag glucosegehalte in het bloed en een lege maag, geeft het lichaam hongersignalen af: we moeten eten.

Trek is een psychische reactie bij het zien of ruiken van eten, gevolgd door een 'onvrijwillige' fysiologische reactie: watertanden, kwijlen en samentrekken van de maagspieren. Vaak is het ook een voorgeprogrammeerde reactie – à la Pavlov – op bepaalde activiteiten. In de bioscoop hebben we zin in popcorn; bij een glaasje wijn willen we graag een stukje kaas of worst.

Neurotransmitters zoals serotonine en dopamine zijn verantwoordelijk voor deze 'reflex'. Serotonine is het hormoon dat ons een gelukkig en tevreden gevoel geeft, maar het is ook verantwoordelijk voor de lekkere trek. Het geeft een rustig gevoel bij het eten van lekkere – meestal zoete – dingen als snoep, chocolade en ijs. Als je aan eten denkt of als je eten ziet of ruikt, wordt er dopamine aangemaakt. Dit verhoogt het verlangen naar eten dat we lekker vinden en dat ons beloont. Dopamine is zo sterk dat het maakt dat je wilt eten, ook al heb je geen honger. Het geeft je een gevoel van genot en blijdschap. Dopamine is verantwoordelijk voor het eten van meestal ongezond voedsel

omdat je je daardoor beter voelt. Appels, bananen en watermeloen reguleren het dopaminegehalte.

Samengevat: honger geeft aan dat er de noodzaak is om te eten, terwijl trek het verlangen is naar eten. Voor honger is één bord genoeg, maar als het lekker is en het er smakelijk uitziet, scheppen we nog een keertje op om de (lekkere) trek te stillen. Dat we dit doen en dat ons lichaam niet direct protesteert, is omdat het verzadigingssignaal van het lichaam te laat komt. Dat signaal kan zelfs helemaal verdwijnen als we voortdurend te veel eten. Zo word je dus dik van trek.

IS HET DE SCHULD VAN ONZE GENEN?

Genetisch is ons lichaam nog steeds geprogrammeerd zoals duizenden jaren geleden. Periodes van overvloed aan voedsel wisselden af met lange periodes zonder voedsel. Honger was en is – althans in sommige delen van de wereld – nog steeds de belangrijkste doodsoorzaak. De mensen die overleefden (survival of the fittest) waren diegenen die genetisch gezien het beste in staat waren om het aangeboden voedsel in reservevet op te slaan. Dus het is niet zo vreemd dat ondanks de overvloed aan voedsel in de westerse wereld, ons lichaam nog steeds reageert alsof er langere periodes zonder voedsel aankomen.

HONGERHORMONEN

In 1994 kregen we voor het eerst inzicht in
de rol van het hormoon leptine. Sindsdien is
veel meer bekend geworden over de rol die
hormonen spelen bij trek, grazen, de stofwisseling en het lichaamsgewicht. DNA-onderzoek
lokaliseerde genen die een invloed hebben op de
stofwisseling, die het honger- en verzadigingsgevoel beïnvloeden en die het gewicht in stand
houden. Deze genen sturen de hongerhormonen
aan die betrokken zijn bij de opslag van vet in
de vetcellen. Ze bepalen wanneer we honger
of trek hebben, wanneer we verzadigd zijn
en genoeg hebben gegeten, ze vertragen onze
stofwisseling en maken ons dik. Deze kennis
kan ons helpen in de strijd tegen overgewicht.
Zo toonde wetenschappelijk onderzoek aan dat
de hormoonspiegels van de hongerhormonen
bij dikke mensen afwijkend zijn. Zij krijgen
onvoldoende signalen door wanneer ze genoeg
hebben gegeten, daardoor hebben ze voortdurend honger. De drie belangrijkste hormonen
die hierbij een rol spelen zijn insuline, ghreline
en leptine.

VAN WATER WORD JE DIK!

Hormonen spelen een belangrijke rol bij de
stofwisseling. Vooral de schildklierhormo-
nen, die de ruststofwisseling regelen, zijn
daarbij actief. Werkt de schildklier traag,
dan vertraagt de stofwisseling, waardoor het
lichaam veel minder calorieën nodig heeft.
Dikke mensen zeggen vaak dat ze niks aan
hun overgewicht kunnen doen. Ze wijten het
aan hun trage stofwisseling, een verstoorde
hormoonhuishouding of een erfelijke aanleg.
Helemaal ongelijk hebben sommige dikkerds
niet. We kennen allemaal wel iemand die
kan eten zoveel hij wil zonder een gram-
metje aan te komen, en anderen die naar
eigen zeggen al dik worden van water. De
stofwisseling – met name die in rust – is erfe-
lijk bepaald. Bij sommigen is die snel,
bij anderen langzaam. Uit onderzoek is echter gebleken dat de verschillen in caloriever-
bruik klein zijn: hooguit 5 %.
Naarmate je ouder wordt, neemt de ruststofwisseling af. Vaak gaat ouderdom ook
gepaard met minder bewegen omdat men
niet meer werkt. Als je dan uit gewoonte
dezelfde hoeveelheid blijft eten, word je
vanzelfsprekend zwaarder.

INSULINE

Het glucosegehalte in het bloed wordt geregeld door insuline. Bij een te laag glucosegehalte geven de hersenen een hongersignaal af. Insuline is een van de hormonen die een rol spelen bij overgewicht. Insuline – dat geproduceerd wordt in de eilandjes van Langerhans in de alvleesklier (pancreas) – regelt niet alleen het glucosegehalte in het bloed, het bevordert ook de opname van glucose en aminozuren in de cellen. Insuline is ook betrokken bij de opslag van de overtollige glucose als glycogeen (dierlijk zetmeel) in de lever en de spieren, en beïnvloedt uiteindelijk ook de omzetting van glycogeen in vet in het vetweefsel. Insuline speelt dus een belangrijke rol bij de stofwisseling van koolhydraten, eiwitten en vetten.

Als de hoeveelheid glucose in het bloed te laag is, reageert het lichaam met een hongergevoel. Op het moment dat we veel gemakkelijk verteerbare ('slechte') koolhydraten eten, dan stijgt het glucosegehalte in het bloed. Het gevolg? Een hogere afgifte insuline aan het bloed, zodat de glucose naar de cellen kan worden getransporteerd.
Als het lichaam niet alle glucose nodig heeft als energiebron, dan wordt het overschot opgeslagen in de lever en de spieren. Vervolgens wordt het, onder invloed van insuline, opgeslagen als lichaamsvet. De verhoogde insulineproductie veroorzaakt op zijn beurt weer een sterke daling van de bloedsuikerspiegel, waardoor weer een hongergevoel ontstaat en de cyclus zich herhaalt.

DIABETES MELLITUS TYPE II

Bij diabetes type II produceert het lichaam onvoldoende insuline. Tegenwoordig wordt diabetes type II ook wel overgewichtdiabetes genoemd. Als we voortdurend te veel eten, is het aanbod van glucose zo hoog dat de alvleesklier niet voldoende insuline kan produceren om alle glucose weg te werken. Er is steeds een tekort aan insuline en door het overgewicht neemt de ongevoeligheid (insulineresistentie) van de lichaamscellen voor insuline toe. Het glucosegehalte in het bloed stijgt.
Een te hoog glucosegehalte gedurende een langere periode verhoogt het risico op allerlei gezondheidsproblemen: hart- en vaatziekten, vaatafwijkingen (haarvaten van de ogen, met als gevolg slechtziend- of zelfs blindheid), verminderde nierfunctie (de nieren moeten harder werken om de overtollige glucose via de urine uit te scheiden), slechte bloedcirculatie en aantasting van het zenuwweefsel. De ziekte openbaart zich meestal bij zware mensen van rond de veertig.

GHRELINE

In 2001 ontdekten Engelse artsen twee tot dan toe onbekende hormonen die een rol spelen bij honger en verzadiging. Het hormoon ghreline werd verantwoordelijk gehouden voor het hongergevoel; het hormoon polypeptide YY voor het gevoel van verzadiging. De artsen ontdekten bovendien een duidelijke interactie tussen de maag en de hersenen. De maag geeft signalen af aan de hersenen als we honger hebben of juist genoeg hebben gegeten, en andersom.

Ghreline is verantwoordelijk voor het opwekken van de eetlust. Bij een lege maag en het zien of ruiken van eten geeft de maag ghreline af aan het bloed. Het ghrelinegehalte in het bloed stijgt, waardoor de eetlust wordt opgewekt. Bij een gevulde maag neemt het ghrelinegehalte in het bloed weer af en stopt het hongergevoel.

Het Engelse woord 'appetizers' – spijzen die de eetlust opwekken – slaat dus de spijker op zijn kop. Als we uit eten gaan, worden we vooraf verwend met een geurig mandje warm brood met kruidenboter. Echt honger hebben we niet, maar de hersenen geven al signalen af aan de maag. Het ghrelinegehalte stijgt. Nog voor de hoofdmaaltijd wordt geserveerd, hebben we al meer sneetjes brood op dan we eigenlijk wilden.

Naast het hormoon ghreline is ook de neurotransmitter neuropeptide Y (NPY) – die wordt afgescheiden door de hypothalamus – een sterke stimulator voor trek en honger. Dit hormoon is verantwoordelijk voor de instinctmatige dwang om te overleven.

Het hormoon polypeptide YY wordt afgescheiden door de darmen en signaleert dat we verzadigd zijn.

LEPTINE

Leptine is een hormoon dat wordt aangemaakt door het vetweefsel. Het wordt beschouwd als de grote regulator van het lichaamsgewicht. Als we te dik worden en alle vetcellen verzadigd zijn met vet, dan maakt het lichaam leptine aan. Leptine geeft aan het lichaam door dat de vetcellen verzadigd zijn. De stofwisseling van de vetcellen wordt verhoogd, waardoor er meer vet wordt verbrand. Tegelijkertijd vermindert het onze trek in vet voedsel, wat ook meehelpt om gewicht te verliezen.

Op het moment dat we te mager worden, dan wordt er minder leptine aangemaakt. De vetstofwisseling vertraagt en de behoefte aan vet eten groeit.

Een andere werking van leptine is dat het de aanmaak van zogenaamde endocannabinoides onderdrukt: deze sterke stimulatoren bevorderen onze trek zonder dat we honger hebben. Als er een erfelijke afwijking is in het gen dat verantwoordelijk is voor de aanmaak van leptine, dan werkt het regelmechanisme dat het gewicht in stand moet houden niet meer of onvoldoende. Als het lichaam te weinig leptine aanmaakt, worden grote hoeveelheden van deze endocannabinoides gevormd. Zo neemt het risico op zwaarlijvigheid toe.

VAN TE WEINIG SLAAP WORD JE DIK!

Onderzoekers van de Stanford University ontdekten dat de hoeveelheid slaap een invloed heeft op de hormoonspiegels van ghreline en leptine. Ghreline speelt een belangrijke rol bij het opwekken van de eetlust, terwijl leptine tijdens een maaltijd het hongergevoel juist langzaam wegneemt. De onderzoekers vergeleken de hormoonspiegels van langslapers (minimaal 8 uur slaap) met die van kortslapers (maximaal 5 uur slaap). Na een korte nachtrust waren de hormoonspiegels van ghreline en leptine verstoord. Het ghrelinegehalte was verhoogd, terwijl het leptinegehalte was gedaald. Kortslapers hebben na een korte nachtrust daarom vaak een grotere eetlust en hun hongergevoel ebt minder snel weg. Te weinig slaap over een langere periode was direct zichtbaar aan de Body Mass Index (BMI). Van de kortslapers was de BMI gemiddeld 4 % gestegen, met een gemiddelde gewichtstoename van 2 kilo. Goed uitgeslapen mensen eten gemiddeld 300 kcal minder dan slechte slapers. Dus een goede nachtrust is net zo belangrijk als gezonde voeding. Zorg voor een frisse slaapkamer en slaap met het raam open. Even op de bank liggen na het avondeten en na een dag hard werken is verleidelijk, maar het bemoeilijkt de nachtrust. Een avondwandeling is een beter alternatief.

HOOFDSTUK 2

WAAROM DIËTEN NIET WERKEN

INLEIDING

Zodra we merken dat we te dik zijn, hebben we de neiging om minder te eten. We slaan het ontbijt of de lunch over of we eten een kleinere portie avondeten. Allemaal in de hoop op deze manier snel de extra pondjes te verliezen. We gaan op dieet.

In het vorige hoofdstuk hebben we al gezien dat de manier waarop ons lichaam daarop reageert, vrij gecompliceerd is en evolutionair bepaald. Als we te weinig eten, denkt ons lichaam automatisch aan hongersnood. Gedurende miljoenen jaren was de hongerdood immers vaak het onvermijdelijke gevolg van een tekort aan eten. Dat zit ook tegenwoordig nog in onze genen ingebakken.

Het lichaam heeft een ingebouwd mechanisme ontwikkeld om te vechten tegen de honger en het gebrek aan eten. De stofwisseling vertraagt om het energieverbruik in evenwicht te brengen met wat het lichaam krijgt aangeboden. Onze brandstof – het opgeslagen vet – wordt gespaard door een lagere stofwisselingssnelheid en een vertraagde werking van actieve organen zoals de lever. Het lichaam weet namelijk niet dat periodes van hongersnood voor de westerse mens in deze tijden van overvloed niet of nauwelijks voorkomen.

AFVALLEN EN DE STOFWISSELING

Met stofwisseling bedoelen we de snelheid waarmee het lichaam energie verbruikt; de energie die nodig is voor het uitvoeren van alle chemische reacties die in het lichaam plaatsvinden. Het spreekt voor zich dat we meer energie nodig hebben naarmate we meer bewegen en zwaardere lichamelijke inspanningen verrichten. Maar het merendeel (60 à 70 %) van alle energie hebben we nodig als het lichaam in rust is, louter om de noodzakelijke lichaamsprocessen te verrichten. Dat gaat van het kloppen van het hart, de bloedsomloop en de ademhaling, tot de werking van lever, nieren en hersenen; en van de voortdurende opbouw en afbraak van cellen en de spijsvertering, tot het handhaven van de lichaamstemperatuur op 37°C. Zelfs wanneer we slapen hebben we energie nodig: tot wel 25 % van het totale energieverbruik! De spijsvertering neemt ongeveer 10 % van de totale energiebehoefte in beslag.

De energiebehoefte van het lichaam in rust heet ruststofwisseling of basaal metabolisme. De hoeveelheid energie die hiervoor nodig is, hangt samen met factoren als lichaamsgrootte, gewicht, leeftijd en geslacht. Ook individuele factoren als hormoonwerking, stress en ziekte beïnvloeden de ruststofwisseling.

Aandeel van de verschillende organen bij de ruststofwisseling

Orgaan	Energie-verbruik in %	Energieverbruik man	Energieverbruik vrouw
Ruststofwisseling	(60 – 70 %)	(gem. 1650 kcal)	(gem. 1400 kcal)
Lever	26	429	364
Hart	25	412	350
Hersenen	18	297	252
Spieren	17	280	238
Nieren	9	149	126
Overig	5	83	70

Mannen hebben een iets hogere ruststofwisseling dan vrouwen. Dat heeft te maken met hun lagere vetweefselpercentage (ongeveer10 % lichaamsvet ten opzichte van 20 % bij vrouwen). Vetweefsel is minder actief dan spierweefsel, daarom verbruiken dikke mensen in rusttoestand ook relatief minder energie dan mensen met een gezond gewicht of magere mensen. Een man van gemiddeld 75 kilo verbruikt per dag voor zijn ruststofwisseling 1500 à 1800 kcal; een vrouw van gemiddeld 65 kilo slechts 1300 à 1500 kcal. Naarmate we ouder worden, neemt de ruststofwisseling af. Dat begint al na het dertigste levensjaar, met een afname van ongeveer 0,7 % per jaar.

Er wordt weleens gezegd dat sommige mensen kunnen eten wat ze willen zonder aan te komen, terwijl anderen al dik worden bij het kijken naar eten. De geluksvogels zouden zogezegd een snelle stofwisseling hebben; de minder gefortuneerden een langzame. Toch verschilt de ruststofwisseling tussen gezonde individuen van dezelfde leeftijd, sekse en gewicht nauwelijks van elkaar. Waarschijnlijk ligt de oorzaak dan toch in het leef- en eetpatroon.

BMR (BASAL METABOLIC RATE) OF RUSTSTOFWISSELING

De energiebehoefte van het lichaam in rust noemt men de ruststofwisseling of het basaal metabolisme (BMR = basal metabolic rate). Zo bereken je je basaal metabolisme (BMR*):

Man: BMR(kcal/dag) = (13,397 x gewicht) + (4,799 x lengte) – (5,677 x leeftijd) + 88,362

Vrouw: BMR(kcal/dag) = (9,247 x gewicht) + (3,098 x lengte) – (4,330 x leeftijd) + 447,593

Onderstaande gegevens moeten worden ingevuld:
Lichaamsgewicht in kilo, lengte in cm, leeftijd en geslacht (m/v)

*) Herziene (1984) formule Harris-Benedict

Eten activeert de spijsvertering en verhoogt de ruststofwisseling. Niet of weinig eten – bijvoorbeeld tijdens een dieet – vertraagt de stofwisseling. Voor de vertering van vetten wordt de ruststofwisseling met ongeveer 4 % verhoogd; voor de vertering van koolhydraten ongeveer

6 % en voor eiwitten maar liefst 25 à 30 %!
De afbraak van eiwitten kost veel energie door de ingewikkelde structuur ervan – op dit principe zijn heel wat eiwitrijke diëten gebaseerd.
Bij een gevarieerde voeding met een normale verhouding tussen eiwitten, koolhydraten en vetten verhoogt de spijsvertering de ruststofwisseling met circa 10 %.
De Gezondheidsraad en het Voedingscentrum adviseren de volgende richtlijnen voor een uitgebalanceerd dieet: haal maximum 11 % van de energie uit eiwitten, 30 % uit vetten en 55 % uit koolhydraten. In het gemiddelde huidige voedingspatroon zijn het aandeel eiwit (15 %) en het aandeel vet (bijna 40 %) veel te hoog, met als logisch gevolg dat het aandeel koolhydraten te laag is.
De vuistregel is dat een volwassene dagelijks 0,75 à 1 gram eiwit per kilo lichaamsgewicht nodig heeft, met een minimum van 50 gram. Te veel eiwitten consumeren is zinloos; het lichaam kan ze namelijk niet in grote hoeveelheden opslaan. Het overschot aan eiwitten wordt in de lever omgezet in glucose en een aantal afvalproducten, waarvan ureum het belangrijkste is. Deze afvalproducten worden door de nieren uit het bloed gefilterd en via de urine uitgescheiden. Hoe meer ureum het lichaam moet verlaten, hoe zwaarder de nieren worden belast. Een hoog eiwitgehalte in de voeding bevordert ook de afvoer van calcium met de urine, met botontkalking tot gevolg.

Ruststofwisseling is één ding. We verbruiken ook nog 30 à 40 % aan energie met werken en fysieke activiteiten als sporten, het huishouden, spelen met de kinderen…
Er is heel wat onderzoek verricht naar het energieverbruik tijdens al deze activiteiten. Met een zogeheten respiratiecalorimeter meet je eenvoudig hoeveel kcal je verbrandt. Met zitten en staan is dat respectievelijk 75 en 90 kcal (gemiddeld) per uur, met aankleden 150 kcal en rustig traplopen 300 kcal. (zie tabel 1 op blz. 150). Om al deze lichaamsprocessen gaande te houden – zonder benzine loopt de motor ook niet – heb je brandstof nodig. Je verbruikt dus constant energie die weer aangevuld moet worden via de opname van voedsel. Koolhydraten, vetten en eiwitten zijn de belangrijkste energieleverende voedingsstoffen; de noodzakelijke brandstoffen voor het lichaam.

Om af te vallen zou je dus je energieverbruik kunnen verhogen door harder te werken, meer te sporten, vaker af te wassen en met de kinderen te spelen. Mensen die een dieet combineren met meer lichaamsbeweging, verliezen voornamelijk gewicht omdat ze extra bewegen. Als ze na het dieet ook blijven bewegen, zullen ze meer kunnen eten zonder weer aan te komen.
Vroeger nam men aan dat iemands stofwisselingstempo een vast gegeven was, ook al verschilt het van persoon tot persoon. Maar de stofwisseling, ook de ruststofwisseling, blijk dynamisch te zijn en in zekere mate beïnvloedbaar – helaas zowel positief als negatief.
Met de juiste lichaamsbeweging verhoog je de stofwisseling. Met een betere conditie verlies je vetweefsel en bouw je meer spierweefsel op, wat op zijn beurt de stofwisseling verhoogt.
Onderzoek toont aan dat actieve mensen slanker

en lichter zijn dan niet-actieve mensen, én dat ze gemiddeld meer eten. Ook roken en het gebruik van sommige drugs (amfetaminen) verhogen de stofwisseling. Mensen die stoppen met roken komen vaak een aantal kilo's aan, maar dat heeft meer te maken met het vervangen van de sigaret door snoep dan met de licht vertraagde stofwisseling.

DE STRIJD TUSSEN LICHAAM EN GEEST

Lichamelijke gezondheid en geestelijk welzijn beïnvloeden ook het stofwisselingstempo. Wie zich fit voelt en geestelijk en emotioneel in balans is, kan de hele wereld aan. Je lichaam verbruikt in deze toestand meer energie, waardoor je iets meer kunt eten dan normaal zonder aan te komen. Depressiviteit verlaagt het stofwisselingstempo. Daarom komen mensen met een depressie soms aan, ook al eten ze niet meer dan anders. Voel je je ongelukkig omdat je, ondanks herhaalde pogingen, niet afvalt en je beseft niet dat je juist dáárom niet afvalt, dan kom je al snel in een vicieuze cirkel terecht. Als je ter compensatie ook nog eens meer eet – omdat je je er prettiger bij voelt en omdat minder eten toch niet helpt – dan vliegen de kilo's er in recordtijd weer aan. De geboorte van het jojo-effect.

Afgezien van de lichaamsreacties die – welbeschouwd – de effecten van de meeste diëten op de lange termijn teniet doen, is er nóg een belangrijke reden waarom diëten niet helpen:

ze zijn moeilijk vol te houden. De meeste diëten falen door gebrek aan wilskracht en vastberadenheid. Alleen al eraan denken maakt je depressief! Daarom voel je je tijdens een dieet vaak zo ellendig.

Als de geest het wél haalt en je het hongergevoel en de verleiding kunt negeren, spreekt je lichaam de vetvoorraden aan en val je af. De weinige mensen die een dieetregime volhouden, slagen er echter niet in om achteraf het gewenste gewicht te behouden. Dieetregels vertellen je namelijk niet wat je na de verschrikkelijke beproeving moet eten. Bovendien geldt voor veel diëten dat je dingen moet eten die je niet lekker vindt en die je weinig bevrediging geven, dus waarom zou je die volhouden? Op dieet gaan is sowieso iets tijdelijks; ooit hou je er weer mee op, toch?

Het geestelijke en lichamelijke verlangen om na zo'n periode weer 'gewoon' te eten is zo groot dat de kilo's er weer aan vliegen. Daarom mag je je na een dieet niet meteen volstouwen: omdat je stofwisseling nog altijd op een laag pitje werkt, beschouwt je lichaam zelfs 'gewoon' eten als overvloedig. Gevolg? De vetvoorraden worden weer netjes aangevuld om de volgende 'hongerperiode' te doorstaan.

Studies staven dat 98 % van de mensen die gewicht verliezen met een dieet, vrij snel daarna weer op hun oude gewicht zitten of zelfs erboven. Dat alleen al is de reden waarom we vaak al met een hopeloos gevoel aan het afvaltraject beginnen. Te veel, te zoet en te vet eten is uit den boze. En laat dat nu nét het moeilijkste zijn om af te leren.

DE GEVOLGEN VAN EEN CRASHDIEET

Bijna alle dieetboeken zijn gebaseerd op calorieën tellen en minder eten. Diëten gaan uit van de simpele veronderstelling dat de energietekorten die het gevolg zijn van minder eten, worden aangevuld door vet te verbranden. In dieetboeken wordt het percentage vetverlies bijna altijd berekend op basis van het tekort aan calorieën. Met een dagelijks tekort van 1000 kcal zou je zo ruim 100 gram vet per dag kwijtraken. De meeste dieetboeken suggereren ook dat het gewichtsverlies eigenlijk vetverlies is. Helaas gaat dit eenvoudige sommetje niet op. Het gewichtsverlies – zeker aan het begin van een dieet – wordt niet alleen veroorzaakt door vetverlies. Wetenschappelijk onderzoek geeft aan dat je voor het verbranden van 500 gram lichaamsvet ongeveer 30.000 kcal nodig hebt (bij een rendement van circa 70 %). Maar wat zorgt dan wel voor het snelle gewichtsverlies aan het begin van een dieet?

In eerste instantie reageert je lichaam op een dieet door de energie aan te spreken die direct voorhanden is in een noodgeval. Dat is niet het opgeslagen depotvet, maar glycogeen – lange aan elkaar gekoppelde glucosemoleculen, vergelijkbaar met zetmeel in aardappelen, de vorm waarin glucose is opgeslagen in de lever en de spieren. Glycogeen vormt de onmiddellijk beschikbare energie voor lichaam en hersenen. De hersenen kunnen uitsluitend glucose als brandstof gebruiken en hebben zelf nauwelijks een glycogeenvoorraad.

Hoe groot de glycogeenvoorraad precies is, is niet bekend. Deskundigen gaan ervan uit dat het ongeveer 1000 gram is. In het lichaam is glycogeen opgelost in water in een verhouding van 1 gram glycogeen op 2,7 gram water. De opgeloste glycogeenvoorraad vertegenwoordigt dus een gewicht van meer dan 3,5 kilo. Glycogeen verbrandt veel gemakkelijker dan vet. Het gewicht dat je in het begin van een dieet verliest is dus geen vet maar glycogeen, vocht en darminhoud.

Verlies van glycogeen zorgt voor een verlaging van de bloedsuikerspiegel, wat op zijn beurt leidt tot een gevoel van zwakte, depressie, irritatie, vermoeidheid en duizeligheid. Bovendien brengt de vermindering van de glycogeenvoorraad het mechanisme op gang dat honger signaleert. Een laag glycogeengehalte geeft een intens hongergevoel. Producten die rijk zijn aan zetmeel – brood, pasta, graanproducten, bonen en aardappelen – bevredigen niet alleen omdat ze een hoog energiegehalte hebben; ze vullen ook de glycogeenvoorraden aan en brengen de bloedsuikerspiegel weer op peil. Kortom, je krijgt er een voldaan gevoel van.

De zo gehate vetlagen worden als je een dieet volgt pas aangesproken als de glycogeenvoorraad is opgesoupeerd – en dat is meestal na een dag of vijf. Een dieet van meer dan drie weken leidt uiteindelijk ook tot vetverlies, naast verlies aan vocht, glycogeen en spierweefsel.

Tegelijk schakelt het lichaam over op een noodscenario: de stofwisseling vertraagt en de energiebehoefte wordt tot een minimum teruggeschroefd. Na een paar weken heeft je lichaam zich helemaal aangepast aan de nieuwe situatie. De ruststofwisseling bij crashdiëten ligt tot 20 % lager dan in normale omstandigheden. Als je uitgaat van een gemiddelde ruststofwisseling, dan zakt het energieverbruik in rust dus met gemiddeld 300 kcal. Dat verklaart meteen ook waarom het steeds moeilijker wordt om gewicht te verliezen naarmate het dieet vordert. En hoe trager het gewichtsverlies gaat, hoe groter de frustratie wordt en hoe moeilijker het is om het strakke regime vol te houden.

Als je stopt met een crashdieet, duurt het nog weken voordat je stofwisseling weer op het oude niveau is. Als je in die periode opnieuw 'normaal' gaat eten, stapelen de kilo's zich op. Bijna elk dieet dat een gewichtsverlies van 5 tot 7 kilo belooft in de eerste drie weken, resulteert in een even grote gewichtstoename binnen een maand nadat je gestopt bent met het dieet. Bij een crashdieet van een paar dagen komt het gewichtsverlies er even snel weer aan.

De meeste diëten zijn slecht omdat ze louter focussen op de hoeveelheid voedsel (uitgedrukt in kilocalorieën) die je eet, in de veronderstelling dat het wegnemen van energie uit voedsel het belangrijkste is om gewicht te verliezen. Ze gaan echter voorbij aan het feit dat de basisbehoefte van je lichaam niet wordt ingevuld door de kwantiteit, maar juist door de kwaliteit van voedsel. Het heeft niet alleen energie nodig, maar ook voedingsstoffen (vitamines en mineralen) die zelf geen energie leveren. Mensen die fanatiek diëten, krijgen daardoor onvoldoende voedzaam eten binnen. Radicale en eenzijdige diëten vormen zelfs een gevaar voor de gezondheid. Ze brengen je lichaam uit balans en tasten zelfs de geest aan. Als je een dieet volgt van 1000 kcal per dag, is de grootste verandering voor je lichaam niet het plotselinge energietekort, maar wél het gebrek aan de juiste hoeveelheid voedingsstoffen. Je lichaam schreeuwt om die voedingsstoffen.

Heel wat lichamelijke klachten waarvoor men geen aanwijsbare reden vindt – maag- en spijsverteringsklachten, hoofdpijn, slapeloosheid, depressiviteit – zouden het gevolg kunnen zijn van slechte voeding. Omdat we steeds meer industrieel bewerkt voedsel eten (*high density food*), hebben we er steeds grotere hoeveelheden van nodig om voldoende voedingsstoffen binnen te krijgen. Ook dit is een oorzaak dat we te veel kilocalorieën consumeren en zo worden we dik tegen wil en dank. De oplossing? Voedsel eten dat arm is aan energie, maar rijk aan voedingsstoffen.

Het geheim van een goed dieet is dat de calorie-inname minstens 20 kcal per kilo van je gewenste lichaamsgewicht is. Is je streefgewicht als vrouw 60 kilo, dan moet je minstens 1200 kcal per dag eten. Eet je minder? Dan loop je het risico op een langzamere stofwisseling. Je kunt ongeveer 250 gram gewicht verliezen per week zonder je stofwisseling te

vertragen. Meer gewicht verliezen lukt alleen
op een gezonde manier als je meer beweegt.
Het probleem is dat we ongeduldig zijn – de
zomer staat voor de deur! We geloven liever de
dieetindustrie die ons kilo's gewichtsverlies per
week belooft – ook al toont onderzoek van het
Amerikaanse Institute of Health aan dat geen
enkel – je leest het goed – commercieel dieet-
programma succesvol is op de lange termijn.

HOOFDSTUK 3

VERANDER JE EETPATROON IN DERTIG DAGEN

OP NAAR JE REËLE GEWICHT

Aan ons westerse slankheidsideaal kleven veel bezwaren. Mensen zijn steeds vaker ziek door voortdurend af te vallen en weer aan te komen: het gevreesde jojo-effect. Het ideale gewicht blijkt in de praktijk voor veel mensen onbereikbaar. Daarom spreken we liever van het reële gewicht: het gewicht dat je gemakkelijk bereikt en in stand houdt zónder gezondheidsrisico's en mét een waarborg voor psychisch, lichamelijk en sociaal welzijn. Kortom: het gewicht waarbij je je in alle opzichten goed voelt in je lichaam. Verzoen je dus liever met een paar kilo's 'te veel', dan je gewicht voortdurend te laten schommelen door slaafs dieettrends te volgen.

Veel dieetboeken zijn eenzijdig gericht op de hoeveelheid voedsel en zien de kwaliteit ervan over het hoofd. Een doodzonde. Want je lichaam heeft niet alleen calorieën, maar ook voedingsstoffen nodig. Het gaat dus niet zozeer om hoeveel je eet, maar wel om wat je eet. Het aantal calorieën is absoluut niet zaligmakend bij een dieet. En de ene calorie is de andere niet. Want kilocalorieën in de vorm van vet worden regelrecht opgeslagen in je vetdepots, terwijl kilocalorieën van koolhydraten als eerste worden verbrand om energie te leveren. Eet je meer koolhydraten dan nodig is voor je energievoorziening – bijvoorbeeld omdat je weinig beweegt – dan worden ook de kilocalorieën uit koolhydraten opgeslagen als vet.

Trouwens, als alleen calorieën een rol speelden, dan zouden we nu magerder zijn dan honderd jaar geleden, want we eten gemiddeld minder calorieën dan toen. Het verschil zit in wat we eten en hoeveel we bewegen. Een eeuw geleden stonden dagelijks brood, aardappelen, bonen, groenten en fruit op het menu, en maar af en toe een stukje vlees. Vandaag eten we bijna dagelijks vlees, kaas en industrieel bewerkt voedsel. Een groot deel van de calorieën die we eten zijn leeg en hebben geen toegevoegde waarde. Ook het verborgen vet- en suikergehalte in onze voeding is sterk gestegen.

Maar geen nood: verantwoord afvallen ligt binnen handbereik. Het komt er gewoon opaan evenwichtig samengestelde voeding te eten. En als je daarnaast ook nog eens lichamelijk actief bent en veel sport, heb je meer vrijheid om te eten wat je wilt.

Wil je écht met een gezond gewicht door het leven? Gooi dan alle dieetboeken overboord, schrap je moed en motivatie bijeen en begin vandaag nog aan dit dertig dagen durende programma om je eetgewoontes te veranderen. *Eet gewoon* helpt je op weg.

GEZONDER EN FITTER
IN 30 DAGEN

In dertig dagen leren we je je eet- en leefgewoontes stap voor stap te veranderen. Je leert
goede eetgewoontes kennen om slechte te vervangen. Wees je er wel van bewust dat afvallen
niet van de ene op de andere dag gaat. Gezond
afvallen is een langetermijnproject. Crashdiëten
zijn nutteloos, ongezond en soms zelfs ronduit
gevaarlijk. Een grote, blijvende verandering gaat
in kleine stapjes. De aanschaf van dit boek is de
eerste stap.

DAG 1. BEREIK JE DOEL

Wil je écht iets veranderen? Dan heb je gemiddeld dertig dagen van volledige toewijding nodig om het verschil te maken. Dat geldt ook voor de aanpassing van je eet- en leefgewoontes. De komende dertig dagen zal je houding ten opzichte van eten, drinken en bewegen veranderen. Je gaat je richten op de juiste keuzes. Je zult niet dagelijks op de weegschaal staan, geen calorieën tellen. Je volgt gewoon dit avontuur. En bij het lezen van dag 1 ben je in feite al begonnen. Leg het boek dus niet weg tot morgen. Verzin geen smoesjes om het uit te stellen, want dan komt het er misschien nooit meer van.

Is voedsel je beste vriend en tegelijk je grootste vijand? De komende dertig dagen zul je ontdekken dat eten je zoveel meer voldoening kan geven, zonder dat de weegschaal daar een domper op zet. Stel geen onrealistische eisen ten aanzien van je gewicht. Je enige doelstelling is om dagelijks de beschreven opdracht uit te voeren en die in je leefpatroon te integreren. Focus niet op de kilo's die je bent afgevallen of aangekomen. Je gewicht hangt niet alleen af van de hoeveelheid vet die je verliest, maar ook van vocht en darminhoud. Wil je tóch absoluut je gewichtsverlies volgen? Weeg je dan maximaal een keer per week, bij voorkeur 's morgens voor het ontbijt en in je ondergoed. En volg je gewichtsverlies op basis van een gemiddelde over een periode van vier weken.

Wees je er ook van bewust dat het beschermingsmechanisme van je lichaam om te overleven, krachtiger is dan het verlangen van je geest om je lichaam het gewenste gewicht te geven. Je zult je gewenste gewicht waarschijnlijk niet bereiken na dertig dagen, maar de neerwaartse trend is ingezet. En het allerbelangrijkste: je bent op weg naar een veel gezondere manier van leven!

DAG 2. DRINK WATER

Op de Olympische Spelen van 476 v. Christus bracht de Griekse dichter Pindarus een ode aan de winnaar van de paardenrennen. Die ode luidde *Ariston men hydoor*, het beste van alles is water. Vijfentwintig eeuwen later – in 1968 om precies te zijn – luidt het eerste artikel van het *Europees Handvest voor water* van de Europese Raad: 'Zonder water is geen leven mogelijk.' En in 1992 nam de Verenigde Naties een resolutie aan om vanaf 1993 jaarlijks op 22 maart een Wereldwaterdag te organiseren. Want iedere wereldburger heeft recht op schoon drinkwater. Waarom deze historische inleiding? Om het belang van water te benadrukken. Vanaf vandaag drink je vóór elke maaltijd een groot glas water. Dat zijn dus minimaal drie glazen per dag. Je begint er vandaag mee, omdat je lichaam minstens twee à drie weken nodig heeft om eraan te wennen. Voor de duidelijkheid: we hebben het over water – geen thee of koffie. Want hoewel die dranken geen bezwaar vormen – mits je ze drinkt zonder melk en suiker – moet je jezelf aanleren om zuiver water te drinken, bovenop het andere vocht dat je binnenkrijgt.

WAAROM WATER?

Water is een belangrijk oplosmiddel voor allerlei stoffen. Stofwisselingsprocessen kunnen zich alleen maar afspelen in een waterige omgeving. Water is dus essentieel voor de celstofwisseling en ook voor de vorming van spijsverteringssappen en het 'oplossen' van voedsel in het spijs-verteringskanaal.

Omdat water zo belangrijk is voor het goed functioneren van alle lichaamsprocessen, waarschuwt je lichaam zeer snel als er een watertekort dreigt. Dan prikkelt het het 'dorstcentrum' in je hersenen zodat je een dorstgevoel ervaart en wilt drinken. Je lichaam heeft ruim 2,5 liter vocht per dag nodig om de waterbalans in evenwicht te houden. Daarvan maak je zelf ongeveer 0,4 liter vocht aan bij de verbranding van koolhydraten. Ongeveer een halve liter krijg je binnen via het eten van vast voedsel – ja, de meeste voedingsmiddelen bevatten veel vocht! We zeggen niet voor niets dat een komkommer verpakt water is met een watergehalte van maar liefst 97 %! De rest van het benodigde vocht – circa acht grote glazen per dag – moet je dus binnenkrijgen door te drinken. De belangrijkste drank is water: neutraal van smaak en het bevat geen kilocalorieën of schadelijke stoffen. Spijtig genoeg drinken de meeste mensen te weinig water. Daardoor produceert het lichaam minder urine. Om toch alle afvalstoffen af te voeren, bevat de urine een hogere concentratie afvalstoffen en is ze donkerder van kleur. Dat vormt een belasting voor de nieren. Wil je weten of je genoeg water drinkt? Kijk dan eens kritisch naar de kleur van je urine. Die moet helder en licht zijn.

DIT DOET WATER VOOR JE

Als je voor elke maaltijd water drinkt, vul je de maag al gedeeltelijk. Daardoor eet je minder omdat je sneller voldaan bent. Zo vermindert water je eetlust.

Water gaat ook het hongergevoel tegen. We vertelden al dat je lichaam je waarschuwt als er watertekort dreigt. Maar we verwarren dat signaal van de hersenen soms met honger, waardoor we gaan eten. Drink je voldoende water, dan ga je dat misverstand tegen. Water houdt ook de stofwisseling aan de gang en de vochtbalans op peil.

DE DIURETISCHE WERKING VAN CAFEÏNE EN ALCOHOL

Hebben cafeïne en alcohol een vochtuitdrijvende (diuretische) werking? Mag je ze meetellen bij de inname van vocht? In tegenstelling tot wat vaak wordt gedacht, verhoogt koffiedrinken de urineproductie niet. Tenminste, in normale hoeveelheden. Pas als je grote hoeveelheden koffie drinkt in korte tijd, leidt dit tot extra vochtverlies. Geringe diuretische effecten worden pas waargenomen als je meer dan vijf koppen koffie drinkt. Ook het Voedingscentrum is deze mening toegedaan: 'Het is een fabel dat cafeïne in koffie vochtafdrijvend werkt, waardoor te veel vocht wordt uitgescheiden. Cafeïne zorgt wel voor een snellere, maar niet voor een grotere uitscheiding.'

Alcohol is een ander verhaal. Het vermindert de productie van het antidiuretische hormoon vasopressine: het hormoon dat de nieren vertelt hoeveel vocht moet worden vastgehouden of naar de blaas moet worden afgevoerd. Onder invloed van alcohol wordt minder vocht vastgehouden en direct afgevoerd naar de blaas. Resultaat: je plast meer vocht uit dan dat je inneemt. Alcohol – ongeacht het soort drank – werkt dus wel degelijk vochtuitdrijvend en verhoogt de urineproductie.

RECEPT DAG 2 LEKKERE THEECOMBINATIES

LIMOEN-MUNTTHEE

Bereidingstijd

2 minuten

Ingrediënten

6 gram muntblaadjes, van dikke steeltjes ontdaan

1 limoen, in acht parten

250 ml kokend water

Bereidingswijze

Vul een groot theeglas met de muntblaadjes.

Knijp 4 parten limoen uit boven het glas en vul

het glas op met kokendheet water.

Serveer met een roerspatel.

De thee is zowel heet als koud te drinken

(koud als ijsthee met ijsblokjes).

Voedingswaarde		% ADH*
Energie	27 kcal	1,0 %
Eiwit	0,5 gram	0,9 %
Koolhydraten	1,7 gram	0,7 %
Vet	1,5 gram	1,8 %
Voedingsvezels	2,1 gram	6,0 %
Vitamine B_2	0,01 mg	0,8 %
Vitamine B_6	0,01 mg	0,7 %
Vitamine B_{11}	6,0 mcg	2,0 %
Vitamine C	3,9 mg	5,6 %
Vitamine D	0,0 mg	0,0 %
Natrium	8,2 mg	0,23 %
Zout	20,5 mg	
Calcium	53,0 mg	8,8 %
IJzer	1,1 mg	8,8 %
Magnesium	11,1 mg	3,7 %

*) ADH = Aanbevolen Dagelijkse Hoeveelheid,
zie tabel 3 en 4 (blz. 153 en 154) voor de gemiddelde
ADH-waardes gebruikt bij de berekening van
de recepten.

SELDERIJ-TIJMTHEE

Bereidingstijd

2 minuten

Ingrediënten

5 gram tijm

5 gram bladselderij

10 gram geschilde gemberwortel,

in stukjes

250 ml kokend water

Bereidingswijze

Doe tijm, selderijblad en gember in kleine stukjes in
een groot theeglas.

Vul het glas met kokend heet water.

Serveer met een roerspatel.

De thee is zowel heet als koud te drinken

(koud als ijsthee met ijsblokjes).

Het is ook lekker om water met een smaakje te gebruiken:
pers het sap van een sinaasappel en een halve citroen/
limoen uit en roer het door een liter water.

Voedingswaarde		% ADH
Energie	15 kcal	1,0 %
Eiwit	0,5 gram	0,9 %
Koolhydraten	2,3 gram	0,9 %
Vet	0,2 gram	0,2 %
Voedingsvezels	0,9 gram	2,6 %
Vitamine B_2	0,01 mg	0,8 %
Vitamine B_6	0,07 mg	4,7 %
Vitamine B_{11}	6,0 mcg	2,0 %
Vitamine C	3,5 mg	5,0 %
Vitamine D	0,0 mg	0,0 %
Natrium	10,5 mg	0,3 %
Zout	26,0 mg	
Calcium	51,0 mg	6,0 %
IJzer	0,9 mg	7,2 %
Magnesium	15,0 mg	5,0 %

DAG 3. EET FRUIT

Sinds de jaren zeventig daalt de consumptie van vers fruit gestaag. Het huidige consumptiepatroon ligt op amper 100 gram fruit per dag, terwijl het advies van twee stuks fruit een gewicht van circa 300 gram vertegenwoordigt. We vervangen vers fruit door fruitdranken en vruchtensappen. En die zitten vaak boordevol suiker en zijn bij lange na niet zo gezond als vers fruit – al laat de voedingsindustrie ons graag anders geloven…

Groenten en fruit horen de basis te zijn voor elk dieet, want fruit houdt de bloedvaten jong, verlaagt het LDL-cholesterolgehalte en beschermt tegen verouderingssyndromen. Dat heeft te maken met het hoge flavonoïdengehalte dat fruit zo mooi kleurt. De flavonoïden in rood en blauw fruit noemen we anthocyanines; deze natuurlijke kleurstoffen hebben een beschermende werking op de zenuwcellen.

Fruit is gezond voor de huid, de bloedvaten en de hersenen. Bovendien helpt het eten van fruit als peren, abrikozen, mango's, vijgen en banaan om de natrium-kaliumbalans te herstellen. Die is bij veel mensen uit balans omdat we te veel zout eten.

Vanaf vandaag (dag 3) eet je alle dagen fruit. Minstens één stuk, maar liefst twee. Eet fruit als een gezond tussendoortje of maak er een frisse salade mee. En kies voor verschillende kleuren. Lust je geen fruit? Maak dan je eigen smoothie. Zo krijg je toch de hoeveelheid vitamines en andere voedingsstoffen binnen die je lichaam nodig heeft.

DE NATRIUM-KALIUMPOMP

Je lichaam bestaat voor ongeveer 60 % uit water. Het grootste gedeelte is opgeslagen in de afzonderlijke lichaamscellen, de rest in de vloeistof rondom de cellen (het weefselvocht) en nog een klein deeltje in het bloedplasma. Het water in de cel is het medium waarin alle chemische reacties plaatsvinden die het leven mogelijk maken. Er moeten voortdurend moleculen worden uitgewisseld tussen de cel en zijn omgeving (het weefselvocht). Het celmembraan fungeert daarbij als een filter met een halfdoorlatende wand. Sommige moleculen gaan erdoor, andere niet. Natrium en kalium zijn de belangrijkste elementen. Ze zorgen voor evenwicht en reguleren de concentraties van chemische stoffen binnen en buiten de cel. Dit reguleringsmechanisme noemen we de 'natrium-kaliumpomp'.

Kalium bevindt zich hoofdzakelijk in de cellen (intracellulair), terwijl natrium zich hoofdzakelijk buiten de cellen (extracellulair) bevindt in het bloed en het weefselvocht. De belangrijkste functie van het element natrium is ervoor te zorgen dat het lichaamsvocht in de cellen blijft. Als het natriumgehalte in de cellen toeneemt, stroomt er water uit het weefselvocht in de cellen. Als het natrium er niet uitgepompt zou worden door de cel, hoopt het lichaamsvocht zich op in de cellen, waardoor ze opzwellen en soms zelfs openbarsten. Dit resulteert in een voortdurende waterverplaatsing tussen de cellen en het weefselvocht, waardoor verse voedingsstoffen naar de cel worden aangevoerd en afvalstoffen uit de cellen worden afgevoerd.

Omdat fruit veel voedingsvezels bevat, geeft het je een vol gevoel met relatief weinig calorie-en. Als je je smoothie langzaam met een rietje drinkt, krijg je een nog voller gevoel. Fruit heeft ook een positief effect op hongerhormonen zoals ghreline en PYY (polypeptide YY, zie Hoofdstuk 1 blz. 25).

Een smoothie van de supermarkt of in de horeca bevat doorgaans evenveel fruit, maar er worden dikwijls ijs, suiker of zoetstoffen aan toegevoegd. Daardoor zitten er veel meer kilocalorieën in en helpen ze je niet om af te vallen. Eet dan liever vers fruit uit de hand.

RECEPT DAG 3 ENKELE GEZONDE SMOOTHIE-COMBINATIES
SMOOTHIE VAN WORTEL, PEER, ANANAS EN GEMBER

Bereidingstijd
4 minuten

Ingrediënten
50 gram geschrapte worteltjes

125 gram geschilde conferencepeer

125 gram ananasblokjes, vers of diepvries

4 gram geschilde gemberwortel, in schijfjes

100 ml sinaasappelsap

Bereidingswijze
Mix alle ingrediënten in een blender tot een gladde smoothie.

Schenk de smoothie in een glas of beker.

Voedingswaarde		% ADH
Energie	208 kcal	9,0 %
Eiwit	2,4 gram	4,4 %
Koolhydraten	43,8 gram	16 %
Vet	1,0 gram	1,2 %
Voedingsvezels	7,0 gram	20 %
Vitamine B_2	0,11 mg	8,5 %
Vitamine B_6	0,18 mg	12 %
Vitamine B_{11}	33,0 mcg	11 %
Vitamine C	33,3 mg	47 %
Vitamine D	0,0 mg	0,0 %
Natrium	42,0 mg	1,2 %
Zout	105 mg	
Calcium	64,8 mg	7,6 %
IJzer	3,3 mg	26 %
Magnesium	47,9 mg	16 %

SMOOTHIE VAN BANAAN, SINAASAPPEL, PAPRIKA

Bereidingstijd

4 minuten

Ingrediënten

125 gram gepelde banaan, in stukken

125 gram sinaasappel zonder schil en pitjes

50 gram rode paprika, zaadlijsten verwijderd

25 gram bleekselderij, van harde draden ontdaan

25 gram komkommer, in stukken

100 ml sinaasappelsap

Bereidingswijze

Mix alle ingrediënten in een blender tot een gladde smoothie.

Schenk de smoothie in een glas of beker.

Voedingswaarde		% ADH
Energie	236 kcal	11 %
Eiwit	4,3 gram	7,8 %
Koolhydraten	49,2 gram	19 %
Vet	0,9 gram	1,1 %
Voedingsvezels	6,7 gram	19 %
Vitamine B_2	0,21 mg	16 %
Vitamine B_6	0,91 mg	61 %
Vitamine B_{11}	93,0 mcg	31 %
Vitamine C	208 mg	297 %
Vitamine D	0,0 mg	0,0 %
Natrium	45,0 mg	1,3 %
Zout	112 mg	
Calcium	110 mg	13 %
IJzer	2,3 mg	18 %
Magnesium	70,0 mg	23 %

SMOOTHIE VAN AARDBEIEN, CACAO, MUNT

Bereidingstijd

4 minuten

Ingrediënten

225 gram verse of diepvriesaardbeien

7 gram cacaopoeder

2 gram muntblaadjes, van dikke steeltjes ontdaan

100 gram gepelde banaan, in stukken

150 ml halfvolle melk, sojamelk of karnemelk

Bereidingswijze

Mix alle ingrediënten in een blender tot een gladde smoothie.
Schenk hem in een glas of beker.

Voedingswaarde		% ADH
Energie	271 kcal	12 %
Eiwit	9,7 gram	18 %
Koolhydraten	41,9 gram	16 %
Vet	5,1 gram	6,0 %
Voedingsvezels	9,3 gram	27 %
Vitamine B_2	0,47 mg	36 %
Vitamine B_6	0,59 mg	39 %
Vitamine B_{11}	181 mcg	60 %
Vitamine C	161 mg	230 %
Vitamine D	0,0 mg	0,0 %
Natrium	69,0 mg	2,0 %
Zout	173 mg	
Calcium	260 mg	31 %
IJzer	4,3 mg	34 %
Magnesium	119 mg	40 %

ENKELE MYTHES OVER FRUIT ONTZENUWD
FRUIT IS NIET GEZOND WANT ER ZIT VEEL SUIKER IN.

In fruit zit hoofdzakelijk vruchtensuiker. Fructose heeft een veel lagere Glykemische Index (GI = 20) dan bijvoorbeeld glucose (100). De fructose wordt zeer langzaam aan het bloed afgegeven, zodat er nauwelijks een piek is in de bloedsuikerspiegel.

FRUIT VEROORZAAKT VOEDSELALLERGIE.

Over de oorzaak van voedselallergieën en -intoleranties moeten we nog veel leren. Kris Verburgh, arts en auteur van *De Voedselzandloper*: 'Zelfs het biologische kenmerk van allergie of intolerantie, namelijk het in grote hoeveelheden voorkomen van immunoglobuline E en G-antilichamen tegen bijvoorbeeld pollen, huisstofmijt of een kiwi, wil nog niet zeggen dat je ook allergisch of intolerant bent voor deze stoffen. Er zijn immers veel mensen die grote hoeveelheden antilichamen in hun bloed hebben tegen deze stoffen, maar er toch niet allergisch voor zijn.' Minder of geen fruit eten omwille van die (vaak onterechte) reden is ongezond.

FRUIT BEVAT VEEL PESTICIDEN, DUS MOETEN WE ZE SCHILLEN.

Ja, er zitten pesticiden op fruit. Maar die verwijder je gemakkelijk door het fruit goed te wassen. Het liefste met een sopje – veel pesticiden zijn oplosbaar in zeep – en dan het fruit goed naspoelen en afdrogen. Zo haal je het beste uit de vele gezonde stoffen net onder de schil.

DAG 4. BEWEEG

Gefeliciteerd! Je bent nog maar drie dagen 'onderweg' en toch maak je al grote vorderingen. Begin echter pas aan de volgende stap als je van de vorige een gewoonte hebt gemaakt. De stappen lijken klein, maar het vergt toch motivatie om ze consequent vol te houden.

Vandaag introduceren we meer beweging in je dagelijkse routine.

Neem de trap in plaats van de lift. Gebruik je fiets voor kleine afstanden of ga te voet. Parkeer je auto een paar straten van je bestemming. Ga tijdens je lunchpauze een eindje wandelen. Een gezonde levensstijl en bewegen gaan hand in hand – zo simpel is het. Bewegen is goed voor je hart, longen, spieren, botten en niet te vergeten: je geest. Een actieve levensstijl verkleint de kans op allerlei welvaartsziekten zoals hart- en vaatziekten, hoge bloeddruk, diabetes en osteoporose.

Wil je daarnaast ook nog wat extra kilo's kwijt, dan is bewegen een must. Een combinatie van lichaamsbeweging en een gezond dieet geeft de meeste kans op slagen. Door te bewegen, verbrand je calorieën die niet meer als vet worden opgeslagen. Dagelijks bewegen houdt je stofwisseling aan de gang. Lichaamsbeweging geeft energie. Na een intensief avondje sporten is je lichaam moe, terwijl je geest alert is en je het gevoel geeft dat je alles aankunt.

Meer beweging aan je leefpatroon toevoegen vereist planning. Denk er dus goed over na. Soms moet je activiteiten omruilen om praktisch redenen. Ga bijvoorbeeld in de ochtend sporten om te profiteren van het daglicht en doe dan 's avonds je boodschappen of andere dingen in huis.

Bij veel mensen helpt het om hun bewegingsactiviteit in de ochtend te plannen. Zo heb je je beweging alvast achter de rug en loop je er niet tegenaan te hikken. Informeer naar activiteiten in je buurt. Er zijn ongetwijfeld talloze programma's waar je kunt instromen en organisaties die in de ochtend lessen geven of begeleiding bieden.

Ga niet alleen sporten, maar zoek een sportmaatje. Vraag je partner, familie, vrienden of collega's om mee te gaan. Zo motiveer je elkaar. Zoek een bewegingsactiviteit die je echt leuk vindt of kunt leren appreciëren. Veel mensen houden fitnessen niet lang vol omdat ze het gewoonweg niet leuk vinden. Daag jezelf uit om iets nieuws te leren. Altijd al willen golfen, duiken of stijldansen? Gewoon doen!

Zoek een teamsport of neem bijvoorbeeld tennislessen. Hierbij kom je in contact met andere mensen, waardoor het sporten ook een sociaal aspect krijgt. Dat maakt het nog gemakkelijker om vol te houden. Sport is niet alleen goed voor je gezondheid, maar geeft ook afleiding en plezier.

Wandelen en fietsen zijn twee activiteiten die je dagelijks kunt ondernemen en die weinig geld kosten. In plaats van koffie te drinken met vrienden, ga je samen een stukje wandelen. Hou een stevig tempo aan en kies telkens een andere route om verveling te vermijden.

Bedenk een doelstelling zoals een toernooitje

of een wandel- of fietsevenement. Je kunt voor elke tak van sport doelstellingen formuleren om het uitdagender te maken voor jezelf. Ook hier geldt dat het met z'n tweeën leuker is dan alleen. Net als bij gezond eten, moet bewegen een vast onderdeel worden van je levensstijl.

De hamvraag is natuurlijk: hoe, hoeveel en wanneer moet je bewegen?

HOE

Lichaamsbeweging moet gericht zijn op drie pijlers: conditie, kracht en soepelheid.

Bij conditietraining richt je je op je hart, bloedvaten en longen. Een hart in goede conditie hoeft niet zo hard te werken om bloed door het lichaam te pompen, en de longen hebben minder moeite om zuurstof aan te voeren. De doorbloeding wordt verbeterd, waardoor zuurstof en voedingsstoffen beter door je lichaam worden verspreid. De inhoud van je longen wordt groter, zodat je dieper kunt ademhalen. Door een grotere zuurstoftoevoer voel je je fitter, heb je meer uithoudingsvermogen, en ben je minder snel moe. En als klap op de vuurpijl verbrand je ook nog eens meer calorieën.

Met krachttraining versterk je je spieren. Sterke spieren geven steun aan je lichaam en voorkomen blessures. Door specifieke spieren te ontwikkelen, laat je je lichaam er beter uitzien. Omdat spieren zwaarder zijn dan vet, zie je dit niet meteen op de weegschaal. En toch zal dat jurkje dat eerst te strak zat, na verloop van tijd veel ruimer zitten. Dat komt omdat spiercellen een kleiner volume hebben dan vetcellen. Heb

je flink spierpijn gehad en ben je geen gewicht verloren ondanks het vele sporten? Dan bouwde je lichaam waarschijnlijk spiermassa op. Spieren groeien door een combinatie van training en gezonde voeding. Dit is alleen maar positief omdat getrainde spieren een hogere energieverbranding hebben in rust. Zo verhoog je je basisstofwisseling.

Je spieren zijn elastisch, maar als je ze niet gebruikt, worden ze stug en stijf. Je hebt er dus baat bij om je spieren soepel te houden. Je bent je daarvan soms pijnlijk bewust bij een plotse, onverwachte beweging. Met rek- en strekoefeningen verleng je je spieren en hou je ze soepel. Je blijft ook lenig en voorkomt blessures. Sterke, soepele spieren vergroten je beweeglijkheid, versterken je evenwicht en verbeteren je lichaamshouding.

HOEVEEL

Dagelijks een halfuurtje bewegen is vaak al voldoende. Je hoeft je beweging trouwens niet te concentreren in één moment. Doe liever drie workouts van tien minuten per dag om meer spiermassa te kweken. Zo hou je je stofwisseling aan de gang.

Heb je al een tijdje niet gesport? Begin dan niet meteen met een halfuur hardlopen of zware gewichten heffen. Dan wil je ermee stoppen voordat je goed en wel begonnen bent. Bouw langzaam op met een inspanning die je gemakkelijk volhoudt. Als je de volgende dag hevige spierpijn hebt, heb je jezelf overbelast. Spierpijn is een signaal van je spieren dat ze geblesseerd zijn. Geef je lichaam rust om ze te laten herstellen. Als je pas begint met sporten, duurt het ongeveer drie maanden voor de eerste resultaten zichtbaar zijn. Maar na een paar weken voel je je wel al veel fitter.

WANNEER

De meeste mensen sporten na een lange werkdag, terwijl het beter is om in de ochtend en middag te bewegen. Doe wat oefeningen voor je naar je werk vertrekt. Maak je lichaam nog voor het ontbijt wakker met rek- en strekoefeningen. Maak een flinke wandeling tijdens je lunchpauze. Het klinkt misschien gek, maar een wandeling vermindert je honger en voorkomt dat je gaat grazen. Maak van je oefeningen een dagelijkse routine. Zo hou je het langer vol. Bovendien heeft dat meer effect dan twee keer per week in de avond naar de sportschool te gaan. Blijf dat trouwens gerust doen, al was het maar voor het sociale aspect. En hou in het achterhoofd dat een beetje bewegen beter is dan helemaal niet bewegen.

Ook thuis kun je gemakkelijk aan beweging doen. Er zijn legio dvd's met fitness- en yogalessen. En er bestaan toestellen in alle mogelijke prijsklassen. Zo hoef je de deur niet uit en kun je meteen aan de slag. Veel oefeningen zijn eenvoudig in je dagelijkse patroon in te passen. Spring wat op en neer terwijl je wacht, doe kniebuigingen tijdens het tandenpoetsen of terwijl je naar de televisie kijkt. Mocht je onverhoopt een keer niet toekomen aan je bewegingsactiviteit, doe dan een zwaarder huishoudelijk klusje:

ramen lappen, stofzuigen, schoonmaken, tuinieren, noem maar op – ook dat is beweging! Let wel: deze activiteiten zijn soms moeilijker vol te houden omdat je ze niet met een groep doet en je snel in de verleiding komt om iets anders te doen.

INLEIDING TOT HET FITNESSPROGRAMMA

Elke training begint met een korte warming-up, rek- en strekoefeningen. Na afloop van een training doe je dezelfde rek- en strekoefeningen als cooling-down.

Tijdens de opwarming – bijvoorbeeld een minuut touwtjespringen of hoelahoepen – vergroot je de bloedtoevoer naar de spieren en verhoog je de lichaamstemperatuur. Spieren en pezen worden warm. Opgewarmde spieren presteren beter, trekken zich sneller en gemakkelijker samen. Warme pezen en aanhechtingen worden buigzamer en soepeler, waardoor je blessures voorkomt. Door aan het einde van de training ook weer te rekken en te strekken, maak je de spieren soepeler en bevorder je het herstel. Vandaag start je met de eerste oefeningen. Om de twee dagen komt er een oefening bij. Na dertig dagen heb je zo een volledig fitnessprogramma voor thuis. Je kunt de oefeningen ook buiten doen. Vervang touwtjespringen of hoelahoepen door een halfuurtje wandelen of fietsen in de vrije natuur.

FITNESSPROGRAMMA DAG 4

WARMING-UP

1 minuut touwtjespringen

CONDITIE- EN KRACHTOEFENINGEN VOOR THUIS

Deze oefeningen zijn eenvoudig uit te voeren op alle momenten van de dag. Meer dan de vloer in de huiskamer of een stevige keukenstoel heb je doorgaans niet nodig. Voor sommige oefeningen gebruik je een paar eenvoudige (en niet al te dure) hulpmiddelen zoals een fitnessmat, een springtouw, een hoelahoep of handhalters (dumbbells). Heb je alleen harde vloeren? Dan is een fitnessmat geen overbodige luxe voor de ligoefeningen.

Touwtjespringen is een van de beste oefeningen om je conditie op te krikken. Het kost veel energie – zeker als het lang geleden is dat je het voor het laatst deed – en je verbrandt er veel kilocalorieën mee. Het versterkt de spieren van je billen, benen, armen en schouders.

Een fitnesshoelahoep is niet alleen leuk; je traint er ook je buikspieren mee en verbrandt veel kilocalorieën. In vergelijking met een gewone hoelahoep is een fitnessversie zwaarder. Zo hou je de hoelahoep gemakkelijker hoog. De draaiende heupbeweging versoepelt je heupen en lage rugspieren.

Bij sommige oefeningen (opdrukken, triceps dipping) gebruik je je eigen lichaamsgewicht als weerstand; bij andere oefeningen heb je gewichten (handhalters/dumbbells) nodig om je spieren weerstand te bieden.

Let ook op onderstaande zaken:

ADEMHALING: adem UIT bij INspanning en adem IN bij ONTspanning. Tijdens de push-ups adem je dus UIT als je opdrukt en IN bij de neerwaartse beweging. Je moet nog gewoon kunnen praten tijdens de oefeningen. Als je naar adem snakt, neem je duidelijk te veel hooi op je vork. Naarmate je conditie verbetert, kun je je meer inspannen voor je buiten adem bent.

HOUDING: let goed op je houding – zeker bij krachtoefeningen. Sta of zit rechtop met ingehouden buik en afhangende (ontspannen) schouders. Doe de oefeningen langzaam en gecontroleerd.

LUISTER NAAR JE LICHAAM: beschouw dit programma als een leidraad. Doe desnoods minder herhalingen in het begin en bouw langzaam op naar het gewenste niveau. Hou je vorderingen bij in een bewegingsdagboek (zie het voorbeeld in de tabel op blz. 156). Moeheid en spierpijn zijn signalen van je lichaam dat het toe is aan rust.

TRAIN BEWUST: hou je gedachten bij de spiergroepen die je traint. Zo train je bewuster en sorteer je meer effect.

KRACHT

Squat (kniebuiging)

Sta rechtop met je voeten op heupbreedte. Hou je romp recht en steek je armen recht vooruit. Adem uit terwijl je je knieën buigt tot een hoek van 90 graden. Je knieën mogen niet voorbij je voeten komen, dus strek je billen goed naar achteren! Tijdens de oefening leun je romp ietsje naar voren. Blijf enkele seconden in deze houding staan. Adem in terwijl je de benen weer strekt tot de staande uitgangspositie. Doe 10 squats en herhaal de oefening 3 keer. Hiermee train je je quadriceps, hamstrings, billen, heupen en rug.

REK- EN STREKOEFENING

Zittende hamstringstretch

(strekken van de achterkant van het bovenbeen)
Zit op de grond met één been gestrekt en het andere gebogen. Buig naar voren in de richting van je uitgestrekte been, en pak het zo laag mogelijk vast. Voel de stretch aan de achterkant van je bovenbeen. Hou deze houding 15 seconden vast en wissel vervolgens van been.

RECEPT DAG 4 EEN ENERGIERIJKE SNACK

MUESLIBROODJE MET VIJGEN EN NOTEN

Bereidingstijd

20 minuten

Ingrediënten (voor een vorm van 300 ml inhoud)

100 gram biologische muesli

100 gram biologische gedroogde vijgen, fijngesneden

50 gram biologische gemengde noten, ongezouten, niet geroosterd

25 gram biologisch lijnzaad

10 gram biologische honing

Bereidingswijze

Schep een portie van 10 gram granen uit de muesli en houd apart.

Doe alle overige ingrediënten in een beslagkom.

Trek een diepvrieszakje om je hand en kneed alles flink, zodat het een enigszins samenhangend mengsel wordt.

Bekleed een minibroodvorm of een kleine ronde springvorm met plasticfolie.

Strooi de apart gehouden gemengde granen uit over de bodem.

Verdeel de gemengde ingrediënten eroverheen.

Bedek de vulling met plasticfolie en druk de massa zeer stevig aan, tot er een compacte koek is ontstaan.

Zet de vorm 1 uur in de vriezer om het geheel goed te koelen.

Snijd het broodje in repen, punten of plakken van de gewenste portiegrootte. Circa 8 plakken van 35 gram.

Voedingswaarde		% ADH
Energie	141 kcal	6 %
Eiwit	3,4 gram	6,3 %
Koolhydraten	18,0 gram	6,9 %
Vet	5,1 gram	6,0 %
Voedingsvezels	4,4 gram	13 %
Vitamine B_2	0,12 mg	9,3 %
Vitamine B_6	0,09 mg	6,0 %
Vitamine B_{11}	6,5 mcg	2,2 %
Vitamine C	0,31 mg	0,5 %
Vitamine D	0,0 mg	0,0 %
Natrium	8,4 mg	0,2 %
Zout	21,0 mg	
Calcium	51,9 mg	6,1 %
IJzer	1,0 mg	8,2 %
Magnesium	44,7 mg	14,9 %

DAG 5. **EET AAN TAFEL**

We hebben het nog steeds niet over hoeveel of hoe vaak je eet, maar wel over hoe je eet: je eetgewoontes. Wil je afvallen en jezelf een gezondere levensstijl aanleren? Dan is het belangrijker om gezond gedrag aan je manier van leven toe te voegen, dan om ongezond gedrag uit te bannen. Volgens een studie van de Universiteit van Utrecht is het elimineren van ongezonde gewoontes niet doeltreffend, want je bereikt er het tegenovergestelde mee. Ongezond eten vervangen door gezond eten, heeft een groter effect dan minder eten en ongezond vet elimineren. We eten niet alleen omdat we energie en voedingsstoffen nodig hebben, maar ook omdat het deel uitmaakt van onze cultuur. Eten is een sociale gebeurtenis die je met je partner, familie en kinderen deelt. Verantwoordelijke ouders moeten het goede voorbeeld geven. Eet daarom de drie belangrijkste maaltijden van de dag samen aan tafel en niet in de auto op weg naar je werk, achter je bureau of voor de tv. En vergeet dat glas water vooraf niet! Als je in een gezinssituatie gezamenlijk de twee belangrijkste maaltijden (ontbijt en avondeten) van de dag nuttigt, leren alle gezinsleden een gezonder voedingspatroon aan en dat leidt uiteindelijk ook tot minder overgewicht.

Eet vanaf vandaag daarom zoals het hoort: aan tafel, geconcentreerd en zonder afleiding van tv, gsm, tablet of e-mail. Voor het ontbijt en de lunch zijn vijftien tot twintig minuten voldoende. Neem kleine hapjes en kauw goed, dat helpt de spijsverteringsenzymen om het voedsel te verteren. Slecht verteerd voedsel vergt een grotere inspanning van je darmen en ze nemen minder voedingsstoffen op. Schrok niet, maar neem rustig de tijd, dat is ook goed om je zinnen te verzetten – het leven is al druk genoeg! Als je traag en met aandacht eet, hebben je hersenen de tijd om de informatie uit je maag te verwerken. Zo signaleren ze dat je genoeg hebt en geven jou het teken dat je verzadigd bent. Die communicatie van hormonen tussen maag en hersenen duurt gemiddeld tien minuten. Als je jezelf aanleert om de tijd te nemen en met aandacht te eten, zul je de signalen van je lichaam sneller herkennen en niet zo gauw te veel eten.

Vermijd het om alleen te eten. Als je samen met je familie eet, of op het werk met je collega's, eet je vanzelf langzamer en kauw je beter.

Hou tijdens de dertig dagen van dit avontuur een voedingsdagboek bij (zie voorbeeld tabel 7 op blz. 157). Mensen die zo'n dagboek bijhouden, hebben meer kans om succesvol af te vallen. Je bent je meer bewust van wat je eet en maakt betere keuzes. De meeste mensen onderschatten trouwens het aantal calorieën dat ze op een dag verorberen, en klagen dan onterecht dat ze 'aankomen terwijl ze bijna niks eten'. Een voedingsdagboek is een echte eyeopener.

RECEPT DAG 5 EET AAN TAFEL

VOLKORENMACARONI MET KIP, TOMAAT, BASILICUM, BLEEKSELDERIJ EN KNOFLOOK

Bereidingstijd

20 minuten

Ingrediënten (voor 1 persoon)

75 gram volkoren pasta

120 gram kipfilet, in blokjes

5 ml olijfolie vermengd met 1 theelepel Provençaalse kruiden

1 tomaat (100 gram), in blokjes

30 gram ui, fijngesneden

1 teentje knoflook (4 gram), fijngesneden

100 gram bleekselderij, in schijfjes van 1 cm

100 gram naturel gezeefde tomaten uit pak/blik

10 gram basilicum, kleine blaadjes

versgemalen zeezout en peper

Bereidingswijze

Meng de kipblokjes met de olijfolie en Provençaalse kruiden
en een slag versgemalen peper.

Breng circa 250 ml water aan de kook en kook de pasta
hierin in circa 8 minuten gaar. Giet hem af.

Verhit intussen een droge wok met antiaanbaklaag op hoog vuur.

Bak hierin de gemarineerde kipblokje kort aan.

Voeg de ui en knoflook toe en roerbak alles kort.

Roerbak de bleekselderij 1 minuut mee.

Voeg de tomaat en de tomatenpuree toe en laat het geheel
een paar minuten pruttelen.

Roer de basilicumblaadjes door de kip en maal er
naar smaak nog wat zeezout en peper overheen.

Schep het geheel over de hete volkoren pasta.

Voedingswaarde		% ADH
Energie	540 kcal	24 %
Eiwit	40,4 gram	73 %
Koolhydraten	65,5 gram	25 %
Vet	10,4 gram	12 %
Voedingsvezels	11,5 gram	33 %
Vitamine B_2	0,24 mg	18 %
Vitamine B_6	2,14 mg	143 %
Vitamine B_{11}	53,0 mcg	18 %
Vitamine C	71,5 mg	102 %
Vitamine D	3,0 mg	120 %
Natrium	328 mg	9,4 %
Zout	820 mg	
Calcium	175 mg	21 %
IJzer	3,6 mg	29 %
Magnesium	118 mg	39 %

SCHRIJF OP WAT JE EET

Breng je eetgedrag in kaart en hou een voedingsdagboek bij (zie voorbeeld bijlage 7). Schrijf gedurende een week nauwkeurig op wat je eet en drinkt:

- Noteer de tijdstippen waarop je eet en drinkt.
- Vermeld het soort eten of het merk. Bijvoorbeeld: *halfvolle* melk, *ongezoet* vruchtensap, *light* limonade, …
- Hou de hoeveelheden bij en gebruik daarvoor huishoudelijke maten. Bijvoorbeeld: vier *sneetjes* brood, twee *stuks* fruit, drie *eetlepels* groenten, … Nog beter is om alles af te wegen.
- Noteer waar je eet en welke emotie je erbij voelt. Bijvoorbeeld: 'snel achter bureau gegeten want te druk op het werk'; 'na een uur opnieuw honger en foute snack gegeten'.

Hoe zorgvuldiger je het dagboek invult, des te plezieriger het wordt om straks je eetpatroon te veranderen. Nog een voordeel: het geeft je wat afleiding tijdens dit avontuur…

FITNESSPROGRAMMA DAG 5

WARMING-UP

5 minuten hoelahoepen

KRACHT

Nieuw: Opdrukken
Squat (herhaling van dag 4)

Uitleg: Opdrukken 1

(op de knieën, gemakkelijker)

Begin vanuit een knielende houding met je handen onder je schouders, met geheven heupen. Plaats je handen op iets meer dan schouderbreedte van elkaar. Steun op je armen en span buik- en bilspieren aan zodat je lichaam als een plank een lijn vormt van hoofd tot knieën. Hou je rug recht en je buik in terwijl je, tijdens het inademen, langzaam je bovenlichaam laat zakken door je armen te buigen. Je bovenarmen zijn nu evenwijdig aan de vloer en maken een hoek van 90 graden met je onderarmen. Adem uit terwijl je je lichaam met je armen weer opdrukt naar de beginhouding. Doe dit 10 keer en rust daarna even uit door je armen uit te schudden. Herhaal de oefening nog eens 10 keer. Gaat dit moeiteloos? Doe de oefening dan met rechte benen. Hiermee train je je borst, schouders en triceps.

Uitleg: Opdrukken 2

(met rechte benen, moeilijker)

Begin de houding voor opdrukken met je hele lichaam kaarsrecht en volledig gestrekt. Alleen je tenen en handpalmen rusten op de grond.

Je benen zijn achterwaarts gestrekt, met het gewicht op je tenen. Je handen staan op ietsje meer dan schouderbreedte uit elkaar. Steun op je armen en span buik- en bilspieren aan zodat je lichaam als een plank een lijn vormt van hoofd tot hielen. Hou je rug recht en je buik in terwijl je tijdens het inademen langzaam je bovenlichaam laat zakken door je armen te buigen. Je bovenarmen zijn nu evenwijdig aan de vloer en maken een hoek van 90 graden met je onderarmen. Adem uit terwijl je je lichaam met je armen weer opdrukt naar de beginhouding. Doe dit 5 keer en rust daarna even uit door je armen uit te schudden. Herhaal de oefening nog eens 10 keer.

REK- EN STREKOEFENING

Nieuw: Borststretch
Zittende hamstringstretch (herhaling van dag 4)

Uitleg: Borststretch

Sta met één schouder tegen de muur. Breng die arm met de handpalm naar de muur, achter de rug gestrekt tegen de muur. Draai nu met je lichaam van de muur weg. Dit kun je in lage, horizontale en hoge armhouding doen om alle delen van de borstspier te rekken. Hou de oefening 15 seconden vast en wissel vervolgens van arm.

DAG 6. LEES HET ETIKET

Eigenlijk zou het heel simpel moeten zijn: er is gezond voedsel dat goed voor ons is, en er is ongezond voedsel dat slecht voor ons is en ons ziek maakt (hart- en vaatziekten, diabetes, adhd). Wie slim is kiest alleen gezond voedsel. Maar… bij de keuze van voedsel speelt niet alleen gezondheid, maar ook emotie een rol. Daarbij komt nog dat het voedselaanbod zo gevarieerd en uitgebreid is, dat het moeilijk is om verantwoorde keuzes te maken.

Over dertig dagen weet je voldoende over voedsel om de juiste keuzes te maken. En je hebt ook geleerd om van minder gezonde versnaperingen te genieten zonder dat vervelende schuldgevoel achteraf. Je weet welk soort eten je honger geeft, in plaats van je honger te stillen. Denk aan de eerder genoemde appetizers. Snacks die je trek stimuleren en je doen verlangen naar meer. Typisch zijn dat warme en koude snacks in combinatie met een glaasje alcohol. De meeste van die snacks bevatten veel calorieën ('slechte' suikers en 'slechte' vetten) en weinig volume. Denk maar aan chips: 'luchtig' en krokant, maar o zo slecht als je wilt afvallen. Gezond en toch lekker snacken doe je met een rijstwafel met magere vleeswaren, vers of gedroogd fruit, worteltjes, snoeptomaatjes, een handje ongebrande, ongezouten noten, een handje olijven of gegrilde groenten (ook koud erg lekker).

Wil je weten hoeveel calorieën bepaalde voedingsmiddelen bevatten, lees dan de voedingswaarde op etiketten. Of zoek informatie op het internet. Er zijn legio sites die je informeren over de kilocalorieën van voedingswaren. Let goed op de hoeveelheid suiker en verzadigd vet. En kies voor producten die zo min mogelijk bewerkt zijn. Die herken je aan hun korte ingrediëntenlijst. Laat je niet misleiden door de verpakking, gezondheidsclaims, slogans, logo's of mooie afbeeldingen. Zogenaamd vetvrije producten of producten zonder toegevoegde suiker kunnen tóch een heleboel calorieën bevatten. Door voordat je producten koopt de etiketten te bekijken, ga je de verschillen herkennen en stilaan leer je betere en gezondere keuzes te maken.

HET ETIKET: ZIE JE DOOR DE BOMEN HET BOS NOG WEL?

Goede voorlichting over voedingsmiddelen is cruciaal. Ik ben er een groot voorstander van, maar kan me de irritatie van de consument goed voorstellen. Want de meeste etiketten zijn nauwelijks te begrijpen en door de kleine lettertjes nauwelijks te lezen En om het de consument nog 'gemakkelijker' te maken, wordt het ene keurmerk na het andere ingevoerd.

HOE WAS HET VROEGER?

Met de opkomst van de supermarkt, in de jaren zestig, werden voedingsmiddelen steeds vaker verpakt. Het volstond toen om de naam van het product en de netto inhoud op de verpakking te vermelden. Maar de producent was niet vrij om een naam voor zijn product te kiezen, die naam werd zeer nauwkeurig via de receptuur vastgelegd in de Warenwet. Het product mocht uitsluitend een bepaalde naam dragen als het voldeed aan de samenstelling zoals voorgeschreven in de wetgeving. Boter was voor 100 % bereid uit melkvet en mocht maximaal 16 % water bevatten. De naam chocolade mocht alleen gebruikt worden als het product voor 100 % bestond uit cacaoboter en -bestanddelen. Maar hoelang het product houdbaar was, hoe je het moest bewaren of door wie het was geproduceerd, was vaak onduidelijk. De consument had vertrouwen in de echtheid en veiligheid van voedingsmiddelen en de controle daarop door de overheid. Onder invloed van de Europese Harmonisatie Richtlijn (1989) – die zegt dat producten vrij verhandelbaar moeten zijn – werd het toegestaan om een deel van de cacaoboter te vervangen door andere, goedkopere vetten.

Het werd noodzakelijk om informatie op het etiket te vermelden om eerlijke handel te garanderen. Is die chocolade al dan niet gemaakt van 100 % cacaoboter? Beschouw het etiket als een contract tussen koper en fabrikant. Net zoals de meeste contracten zijn ze vaak moeilijk en hebben ze kleine lettertjes. En toch is het belangrijk ze goed te lezen. Want gezond en verantwoord eetgedrag begint in de winkel. Neem dus rustig je tijd om het etiket te lezen.

RECEPT DAG 6 LEKKER MET KANT-EN-KLARE PAKJES

VIJF SOORTEN PAKJES DINER, COUSCOUS, TOMATENSAUS, ROERBAKGROENTEN, GARNALEN EN OLIJVEN

Bereidingstijd

15 minuten

Ingrediënten

pakje couscous (75 gram)

pakje tomatensaus (150 ml)

pakje roerbakgroenten (Italiaanse roerbakgroenten in dit voorbeeld, 200 gram)

pakje garnalen (125 gram)

pakje olijven (30 gram)

Bereidingswijze

Breng in een pan 200 ml water aan de kook, haal hem van het vuur en voeg 75 gram couscous toe, roer goed en laat de couscous met het deksel op de pan 10 minuten zwellen.

Verhit een wok met antiaanbaklaag op hoog vuur.

Doe er een beetje olie van de olijven in en bak de garnalen kort aan.

Voeg meteen de roerbakgroenten toe en roerbak tot de groenten nog lekker knapperig zijn.

Roer de tomatensaus door de groenten.

Meng de olijven door de warme couscous.

Schep de couscous met olijven op een bord en giet de toma-ten-groentesaus met garnalen erover.

Proef of er nog iets bij moet, hoewel alles op smaak hoort te zijn door het gebruik van de kant-en-klare pakjes!

Voedingswaarde		% ADH
Energie	571 kcal	27 %
Eiwit	38,0 gram	69 %
Koolhydraten	75,9 gram	29 %
Vet	10,7 gram	13 %
Voedingsvezels	9,6 gram	27 %
Vitamine B_2	0,14 mg	11 %
Vitamine B_6	0,33 mg	22 %
Vitamine B_{11}	47,0 mcg	16 %
Vitamine C	20,4 mg	29 %
Vitamine D	0,0 mg	0,0 %
Natrium	1001 mg	29 %
Zout	2502 mg	
Calcium	169 mg	20 %
IJzer	3,3 mg	26 %
Magnesium	141 mg	47 %

FITNESSPROGRAMMA DAG 6

1 minuut touwtjespringen

KRACHT

Nieuw: Sit-ups (buikspieroefening)

Squat (herhaling van dag 4)

Opdrukken (herhaling van dag 5)

Uitleg: Sit-ups

Lig plat op de grond, met opgetrokken knieën en met je voetzolen recht op de vloer. Breng je armen achter je hoofd en laat je hoofd rusten op je handpalmen. Adem uit terwijl je je buikspieren gebruikt om je bovenlichaam naar een halve zithouding te tillen. Je billen blijven plat op de grond. Adem in en keer terug naar de beginpositie. Doe dit 10 keer, rust even uit en herhaal deze oefening 3 keer. Hiermee train je je buikspieren.

REK- EN STREKOEFENING

Nieuw: Buikspierstretch

Zittende hamstringstretch
(herhaling van dag 4)

Borststretch (herhaling van dag 5)

Uitleg: Buikspierstretch

Zet je voeten op heupbreedte, til je armen boven je hoofd en sla je handen ineen. Leun lichtjes opzij totdat je het zachtjes voelt rekken in de zijkant van je buik. Hou die positie 15 seconden vast en herhaal deze oefening aan de andere kant. Blijf ondertussen rustig ademen.

DAG 7. PLAN JE MAALTIJD

Je maaltijden plannen is een belangrijk wapen in de strijd tegen overgewicht. Vanaf dag vijf eet je de drie belangrijkste maaltijden aan tafel. En voortaan plan je ze ook zorgvuldig. Je hoeft nog steeds niets aan je voedingspatroon te veranderen, maar je moet jezelf wel aanleren om vijf keer per dag te eten (drie hoofdmaaltijden en eventueel twee snackmomenten), zoveel mogelijk op vaste tijdstippen.

Plan je maaltijden zorgvuldig en laat je werkschema geen roet in het eten gooien. Sla geen maaltijden over, want honger verlaagt de wilskracht, en zo grijp je sneller naar ongezond hoogcalorisch voedsel.

Eet drie keer per dag een volwaardige maaltijd: 's morgens, 's middags en 's avonds. Neem er de tijd voor (15 à 20 minuten) en verwen jezelf met een ochtend- en middagsnack. Ook als je geen honger hebt, sla je de hoofdmaaltijden niet over. Ze houden immers je hongerhormonen in balans, zodat je niet in de verleiding komt om te grazen.

De avondmaaltijd is je laatste eetmoment van de dag. Daarna nog snacken is uit den boze. Zeker als je kiest voor snacks met een hoog suikergehalte of met 'slechte' koolhydraten die je bloedsuikergehalte doen stijgen. Daardoor maakt je lichaam meer insuline aan, wat weer invloed heeft op de afscheiding van melatonine: de stof die je slaappatroon regelt. Kortom, je slaapt slecht en krijgt honger in het holst van de nacht.

Stop met eten om het eten: omdat je je verveelt, omdat het lekker ruikt of omdat de verpakking zo verleidelijk is. Vraag jezelf op alle niet-maaltijdmomenten af waarom je wilt eten. Is het uit gewoonte? Uit verveling? Omdat je je down voelt? Doorbreek deze gewoontes en zoek alternatieven.

Je bent nu een week bezig en eigenlijk eet je nog steeds bijna hetzelfde als voorheen. Behalve dat je vóór elke maaltijd een groot glas water drinkt en minstens één stuk fruit per dag eet. De komende week breng je daar geleidelijk aan verandering in. Maar begin pas met de volgende stap als je je de vorige goede gewoontes helemaal hebt eigen gemaakt.

RECEPT DAG 7 PLAN JE MAALTIJD

RUNDERBIEFPUNTJES MET SUIKERPEULEN, PAPRIKA, BOSUI EN ZOETE AARDAPPELEN

Bereidingstijd

30 minuten

Ingrediënten

120 gram biefstukpuntjes

5 gram kokosolie

200 gram suikerpeulen, afgehaald

1 teen knoflook (4 gram), fijngesneden

50 gram rode paprika, in stukjes

versgemalen peper en zeezout

30 gram bosui, fijngesneden

250 gram zoete aardappel, in blokjes van 2 cm

5 ml olijfolie, gemengd met de fijngesneden knoflook

en 1 theelepel Provençaalse kruiden

Bereidingswijze

Verhit de oven tot 200 °C.

Meng de zoete aardappel met het oliekruidenmengsel

en doe het in een kleine ovenschaal.

Zet het circa 25 minuten in het midden van de hete oven.

Maak intussen de rest van het gerecht.

Verhit een wok met antiaanbaklaag op hoog vuur

en voeg de kokosolie toe.

Roerbak de biefpuntjes om en om.

Voeg knoflook, rode paprika en suikerpeulen toe

en roerbak circa 4 minuten op vrij hoog vuur

(de suikerpeulen moeten knapperig blijven).

Breng op smaak met versgemalen peper en zeezout

en schep er tot slot de bosui door.

Serveer de zoete aardappel op een bord en schep

het vlees-groentemengsel erbij.

Voedingswaarde		% ADH
Energie	607 kcal	27 %
Eiwit	38,2 gram	69 %
Koolhydraten	73,3 gram	28 %
Vet		
	15,0 gram	18 %
Voedingsvezels	13,2 gram	38 %
Vitamine B_2	0,36 mg	28 %
Vitamine B_6	1,54 mg	103 %
Vitamine B_{11}	95,0 mcg	32 %
Vitamine C	267 mg	381 %
Vitamine D	0,0 mg	0,0 %
Natrium	167 mg	4,8 %
Zout	418 mg	
Calcium	197 mg	23 %
IJzer	9,0 mg	72 %
Magnesium	151 mg	51 %

FITNESSPROGRAMMA DAG 7

WARMING-UP

2 minuten touwtjespringen

KRACHT

Nieuw: Superman (rug- en biloefening)
Squat (herhaling van dag 4)
Opdrukken (herhaling van dag 5)
Sit-ups (herhaling van dag 6)

Uitleg: Superman

Kniel op handen en voeten met je knieën op heupbreedte en je handen op schouderbreedte. Hou je rug goed recht. Leun een klein stukje naar voren. Adem uit en til nu je linkerarm en rechterbeen op tot je lichaam één rechte lijn vormt, zonder een zijwaartse beweging te maken. Adem vervolgens in en breng je arm en been weer terug naar de beginpositie. Doe dit 20 keer, rust even uit en herhaal deze oefening met je andere been en arm. Herhaal 3 keer aan beide kanten. Hiermee train je je rug- en bilspieren.

REK- EN STREKOEFENING

Nieuw: Rug- en bilstretch
Zittende hamstringstretch (zie dag 4)
Borststretch (herhaling van dag 5)
Buikspierstretch (herhaling van dag 6)

Uitleg: Rug- en bilstretch

Zit op de grond en strek je rechterbeen uit. Breng de voet van je linkerbeen over je gestrekte been en zet deze achter je knie neer. Maak een rechte rug en draai je lichaam vervolgens naar links, waarbij je steunt met je handen. Blijf rustig in- en uitademen en hou deze positie 15 seconden vast. Stretch vervolgens de andere zijde.

DAG 8. NEEM DE INHOUD VAN JE KOELKAST ONDER DE LOEP

Vandaag inspecteer je de inhoud van je koelkast en breng je er langzamerhand verandering in aan. Structureer je koelkast om goed te kunnen overzien wat je in huis hebt. Koop geen al te grote voorraden, zo kun je het overzicht beter behouden. En heel belangrijk: hou je koelkast schoon! Een propvolle koelkast met bedorven voedingsmiddelen beïnvloedt ook de voedingsmiddelen die nog wél goed zijn.

Gooi oude etenswaren en restjes in de afvalbak. Veel etenswaren zijn maar beperkt houdbaar na opening. Zit je koelkast vol met restjes? Dan kook of koop je te veel. Vervang ongezonde dingen door gezonde alternatieven zoals:

- Perssinaasappelen in plaats van zogenaamd verse vruchtensappen.
- Fritessaus in plaats van mayonaise. Nog beter: leer patat eten met een beetje ketchup of zonder saus.
- Vinaigrettes in plaats van sauzen en romige saladedressings.
- Magere of halfvolle zuivel in plaats van volle zuivelproducten.
- Vervang vette vleeswaren (boterhamworst, berliner of salami) door magere soorten (casselerrib, kipfilet, gekookte varkenslever, varkens- of kalfsfricandeau en diverse soorten ham).

HOUDBAARHEIDSDATUM

Koop je eten in de supermarkt? Kijk dan goed naar de houdbaarheidsdatum. Ben je van plan om het onmiddellijk op te eten of wil je het een tijdje bewaren?

Op het etiket staan twee soorten houdbaarheidsdata: een THT-datum (Tenminste Houdbaar Tot) en een TGT-datum (Te Gebruiken Tot).

THT-DATUM (TENMINSTE HOUDBAAR TOT)

De THT-datum garandeert dat het product tot die datum nog dezelfde kwaliteit heeft qua geur, smaak en textuur. Als die datum overschreden is, is het product niet noodzakelijk bedorven. Bij etenswaren die langer dan drie maanden maar korter dan achttien maanden houdbaar zijn, is de vermelding van maand en jaar voldoende (bijvoorbeeld: ten minste houdbaar tot eind december 2015). Is het product langer dan achttien maanden houdbaar (bijvoorbeeld blikgroenten), dan is een vermelding van het jaartal voldoende.

Lang houdbare producten als meel, rijst, pasta of blikconserven krijgen meestal een THT-datum van twee jaar, maar zijn ook daarna nog te gebruiken. De kwaliteit kan iets verminderen, maar de producten zijn nog veilig om te eten. Sommige producten – denk maar aan suiker, zout, azijn en wijn – zijn nog veel langer houdbaar en daarom vrijgesteld van de vermelding van een houdbaarheidsdatum. Voor bederfelijke waren als melk, vleeswaren en zachte kaassoorten, hou je je uiteraard wél aan de opgegeven THT-datum.

Als de houdbaarheid van een product afhankelijk is van de manier van bewaren, moet dat op de verpakking worden vermeld. Bijvoorbeeld: 'droog en donker bewaren' of 'gekoeld bewaren'. Staat er geen bewaarvoorschrift op de verpakking. Dan kun je het product gewoon bij kamertemperatuur bewaren.

TGT-DATUM (TE GEBRUIKEN TOT)

De TGT-datum is de uiterste datum waarop je het voedingsmiddel nog veilig kunt eten. Die datum staat op voedingsmiddelen die uit microbiologisch oogpunt zeer bederfelijk zijn. En die dus na die datum een mogelijk gezondheidsrisico opleveren. Denk hierbij aan vlees, vis, voorgesneden groentes en koelverse maaltijden. Deze producten gaan altijd vergezeld van een bewaaradvies (bijvoorbeeld 'gekoeld bewaren op ten hoogste 4 °C).

Vaak is het even zoeken waar de informatie staat. Meestal vind je ze aan de onderkant van het product of uitgespaard op de rand van het etiket. De fabrikant is alleszins verplicht om in het gezichtsveld aan te geven waar de THT- of TGT-datum staat.

RECEPT DAG 8 BRENG STRUCTUUR IN JE KOELKAST

SCHOLFILET OP PUREE VAN AARDAPPEL EN KNOLSELDERIJ MET GEPOFTE WORTEL

Bereidingstijd

30 minuten

Ingrediënten

150 gram verse scholfilet

5 ml olijfolie

150 gram aardappels

100 gram knolselderij, in kleine blokjes

versgemalen peper en zeezout

200 gram winterwortel, in grove repen

5 ml olijfolie

30 gram ui, fijngesneden

1 teen knoflook (4 gram), fijngesneden

40 gram bosui, in ringetjes

10 gram peterselie, fijngesneden

Voedingswaarde		% ADH
Energie	500 kcal	22 %
Eiwit	37,1 gram	67 %
Koolhydraten	47,2 gram	18 %
Vet	14,1 gram	17 %
Voedingsvezels	17,9 gram	51 %
Vitamine B_2	0,63 mg	48 %
Vitamine B_6	0,97 mg	65 %
Vitamine B_{11}	139 mcg	46 %
Vitamine C	71,0 mg	101 %
Vitamine D	0.0 mg	0,0 %
Natrium	394 mg	11 %
Zout	985 mg	
Calcium	274 mg	32 %
IJzer	9,0 mg	72 %
Magnesium	108 mg	36 %

Bereidingswijze

Verhit de oven tot 180 °C.

Breng de aardappels en de knolselderij in koud water (tot driekwart onder water) met een beetje zout aan de kook en laat ze met het deksel half op de pan in circa 20 minuten gaar worden. (Pas op: laat ze niet droogkoken!)

Meng de winterwortelreepjes in een ovenschaal met olijfolie, knoflook, ui en wat peper en zout en dek af met aluminiumfolie. Zet de schaal circa 15 minuten in de oven en laat de groente daarna nog even onder de aluminiumfolie staan.

Giet de gare aardappel met knolselderij zo nodig af, maar laat ze voldoende drassig. Stamp het mengsel tot puree en proef of er peper en zout bij moeten.

Verhit een koekenpan met wat olijfolie en bak de scholfilet om en om 2 minuten aan elke kant op halfhoog vuur. De vis is dus al na enkele minuten gaar (werk alleen met verse vis!).

Haal de aluminiumfolie van de wortel af en bestrooi met de peterselie en de bosui.

Schep de puree op een bord met de gepofte wortel ernaast en het visje op de wortel.

FITNESSPROGRAMMA DAG 8

(Herhaling van dag 7)

WARMING-UP

2 minuten touwtjespringen

KRACHT

Superman ((herhaling van dag 7)

Squat (herhaling van dag 4)

Opdrukken (herhaling van dag 5)

Sit-ups (herhaling van dag 6)

REK- EN STREKOEFENING

Rug- en bilstretch (herhaling van dag 7)

Zittende hamstringstretch (zie dag 4)

Borststretch (herhaling van dag 5)

Buikspierstretch (herhaling van dag 6)

DAG 9. INSPECTEER JE VOORRAADKAST

Vandaag neem je je voorraadkast onder handen. Die mag zeker niet volgestouwd zijn. Wat er niet is, kun je ook niet eten op momenten dat je trek krijgt in iets lekkers. Als je voorraadkast alleen gezonde dingen bevat, maak je sowieso gezonde keuzes.

Deze producten horen niet in je voorraadkast thuis: witte rijst, witte pasta, chips, snoep, koekjes, gesuikerde frisdranken, limonade-siroop, vruchtensappen, witbrood, gesuiker-de ontbijtgranen, zoet broodbeleg (hagelslag, vruchtenhagel, chocoladepasta, jam), mayonaise, pinda's, borrelnootjes, Japanse mix, mueslirepen, graankoeken.

Van deze producten mag je wel een voorraadje aanleggen: volkoren graanproducten en volkoren pasta, zilvervliesrijst, linzen, gierst, magere sauzen (ketchup, sojasaus), volkoren brood-producten, tortilla wraps, beperkte hoeveelheid gezonde snacks en ongebrande, ongezouten no-ten (amandelen, walnoten, hazelnoten, parano-ten, pecannoten, macadamia- en cashewnoten), zaden (sesamzaad, lijnzaad), pitten (zonne-bloem-, pompoen- of pijnboompitten), olijven, kokosrasp, gedroogd fruit (vijgen, dadels, abrikozen, rozijnen, cranberry's), diverse soorten azijn (balsamico-, rode- en wittewijnazijn, rijstazijn), mosterd, plantaardige oliën (olijfolie, zonnebloemolie, arachideolie, lijnzaadolie en saffloerolie), etenswaren in blik (bonen, tomaten, tonijn, zalm, heldere soepen, fruit zonder toegevoegde suiker).

Ook in de diepvries bewaar je gemakkelijk gezonde producten voor momenten waar-op je weinig tijd hebt om te koken: gezonde kant-en-klaarmaaltijden, kipfilets, gefileerde vismoten, brood, porties zelfgemaakte soep, diepgevroren fruit en groente.

RECEPT DAG 9 GEZONDE DIEPVRIESPRODUCTEN

RUNDERTARTAAR MET KLEURRIJKE DIEPVRIESGROENTEMIX, KNOFLOOK, PROVENÇAALSE KRUIDEN EN VOLKOREN PASTA

Bereidingstijd

Minuten 10 minuten

Ingrediënten

60 gram volkoren pasta

100 gram magere rundertartaar

5 ml olijfolie

versgemalen peper en zeezout

1 teen knoflook (fijngesneden)

2 theel. Provençaalse kruiden

250 gram Mexicaanse diepvries wokgroenten

Bereidingswijze

Kook de volkoren pasta in ruim kokend water (met zout) in circa
8 minuten gaar en stort hem in een vergiet of bolzeef.

Verhit tegelijkertijd een wok met antiaanbaklaag op halfhoog vuur.

Doe de olijfolie in de hete wok en bak het tartaartje meteen om
en om in circa 3 minuten tot het mooi bruin is en rosé van binnen.
Haal het uit de wok en laat even rusten.

Roerbak nu meteen in dezelfde wok de diepvriesgroenten met de
knoflook en Provençaalse kruiden circa 4 minuten op hoog vuur.

Op dat moment is ook de pasta net afgegoten: meng de uitgelekte
pasta (die je niet hoeft af te spoelen!) meteen met de geroerbakte
groenten. Proef of er peper en zout bij moeten, leg het tartaartje
erop, zodat het nog wat warmte meepakt.

(Je bereidt dit hele gerecht dus in de kooktijd van de pasta!!)

Voedingswaarde		% ADH
Energie	613 kcal	28 %
Eiwit	39,6 gram	72 %
Koolhydraten	77,4 gram	30 %
Vet	12,8 gram	15 %
Voedingsvezels	14,8 gram	42 %
Vitamine B_2	0,28 mg	21 %
Vitamine B_6	0,81 mg	54 %
Vitamine B_{11}	69,0 mcg	23 %
Vitamine C	21,0 mg	30 %
Vitamine D	0,1 mg	4,0 %
Natrium	148 mg	4,2 %
Zout	370 mg	
Calcium	83,0 mg	9,8 %
IJzer	5,5 mg	44 %
Magnesium	137 mg	46 %

FITNESSPROGRAMMA DAG 9

WARMING-UP

5 minuten hoelahoepen

KRACHT

Nieuw: Side raises (zijwaarts heffen, schouderoefening)
Squat (herhaling van dag 4)
Opdrukken (herhaling van dag 5)
Sit-ups (herhaling van dag 6)
Superman (herhaling van dag 7 en 8)

Uitleg: Side raises

Ga rechtop staan met je voeten iets uit elkaar en je armen lichtjes gebogen langs je lichaam. Hou in iedere hand een halter vast, met je handpalmen naar je toe. Adem uit terwijl je langzaam je armen zijwaarts omhoog brengt tot schouderhoogte. Je lichaam vormt nu de letter T. Je polsen, onder- en bovenarmen vormen een rechte lijn. Adem in terwijl je langzaam je armen weer naar de beginpositie brengt. Doe dit 10 keer en herhaal de oefening 3 keer. Hiermee train je je schouderspieren.

VARIATIES

Je kunt dezelfde oefening doen door je armen voorwaarts te heffen. Bij de beginpositie wijst de rug van je handpalmen dan naar voren. Deze oefening kun je ook uitvoeren door je armen afwisselend omhoog te brengen. Beide oefeningen kun je ook op één been doen. Met deze evenwichtsoefening worden nagenoeg alle spieren in je lichaam getraind.

REK- EN STREKOEFENING

Nieuw: Schouderstretch
Zittende hamstringstretch (zie dag 4)
Borststretch (herhaling van dag 5)
Buikspierstretch (herhaling van dag 6)
Rug- en bilstretch (herhaling van dag 7 en 8)

Uitleg: Schouderstretch

Breng een arm voor je borst en pak die met je andere hand vast ter hoogte van je elleboog. Duw met je hand richting je borst en voel de stretch in je schouder. Blijf rustig in- en uitademen en hou deze positie 15 seconden vast. Stretch daarna de andere kant.

DAG 10. DOE ANDERS BOODSCHAPPEN

Je koelkast, diepvries- en voorraadkast zijn nu netjes opgeruimd. Je vult ze voortaan aan met de gezonde producten van dag 8 en 9. Ook de manier waarop je boodschappen doet, gaan we veranderen. Om een gezond leef- en eetpatroon op te bouwen, is het ook belangrijk aandacht te geven aan de manier waarop je boodschappen doet. Doe vanaf nu alleen inkopen met een volle maag. Zo vermijd je impulsaankopen om je honger te stillen, zul je dus minder producten kopen en meer gezonde dingen.

Maak een boodschappenlijstje van wat je nodig hebt en hou je eraan. Ook zo voorkom je impulsieve aankopen. Laat je niet verleiden door slimme marketingtrucs van supermarkten en voedselproducenten. Alles wat je niet koopt, kun je ook niet opeten. Een studie van de Amerikaanse Lincoln University berekende dat dit wekelijks 6500 kcal scheelt die niet worden gekocht – en dus niet worden opgegeten. Vertaald naar gewicht levert dit maandelijks een verlies op van 750 gram!

Koop producten die goed voor je zijn: zo min mogelijk bewerkt en zo dicht mogelijk bij hun natuurlijke oorsprong. Verse groenten en fruit (liefst biologisch), halfvolle melk, magere kaas, magere of halfvolle yoghurt, mager vlees, vis, eieren, volkoren graanproducten, ongebrande, ongezouten noten en zaden.

Als kind heb je het ongetwijfeld vaak gehoord: je moet iets proeven om te weten of je het lust. Wil je gezonder eten en gewicht verliezen? Dan moet je openstaan voor onbekende producten en ook oude eetgewoontes durven vervangen door nieuwe. Daarbij hoort ook dat je gezonde producten moet léren eten en waarderen. Vanaf vandaag koop je bij elke boodschappenronde een gezond product dat je nog niet kent. Probeer eens quinoa, een nootachtig gewas dat op graan lijkt. Vervang gewone melk door sojamelk. En leer stilaan om minder brood, aardappelen, pasta en rijst te eten. Vervang ze door havermoutpap, peulvruchten, paddenstoelen, groenten en fruit.

VOEDSELVERSPILLING

Volgens het Ministerie van Landbouw, Natuur en Voedselkwaliteit gooit de Nederlandse consument jaarlijks voor meer dan 2,4 miljard euro aan voedsel weg. Dat is 120 kilo eetbaar voedsel per huishouden! Twintig procent van het eten dat we kopen, gaat linea recta de afvalbak in. Sinds de houdbaarheidsdatum op het etiket verplicht is, gooien we een product dat amper één dag over de THT-datum is meteen weg. We zijn bang voor bederf, terwijl dat niet altijd nodig is. Vertrouw liever op je zintuigen om te oordelen over de eetbaarheid van voedsel waaraan je twijfelt.

Andere oorzaken van voedselverspilling:
- Te veel kopen en koken.
- Voedsel verkeerd bewaren, waardoor het bederft.
- Te grote porties serveren.
- Koel- en voorraadkasten niet netjes houden, waardoor het overzicht wegraakt.

Herken jij je hierin? Of onderschat je je verspillingsgedrag, net als tweederde van de mensen? Breng er dan nú verandering in – voor het milieu, je lijn en je portemonnee.

RECEPT DAG 10 WAT DE BOER NIET KENT

QUINOASALADE MET GEROOKTE ZALM, APPEL, RUCOLA EN GROENE KRUIDENDRESSING

Bereidingstijd

15 minuten (exclusief afkoeltijd van de quinoa)

Ingrediënten

75 gram quinoa en 150 ml koud water

1 appel

1 limoen

30 gram rucola, gewassen en gecentrifugeerd

100 gram versgerookte zalm, in kleine blokjes of reepjes

Groenekruidendressing

1 eetl. azijn, 3 eetl. olijfolie, 1 mespunt mosterd,

1 theel. honing, fijngesneden peterselie, basilicum, bieslook

Bereidingswijze

Breng in een pan de quinoa met het water aan de kook en laat hem
zachtjes circa 12 minuten koken tot het vocht volledig is opgenomen.
De quinoa is nu gaar. Stort hem in een mengkom en laat afkoelen.
Klop de ingrediënten voor de dressing met een staafmixer of in
een blender glad.
Steek het klokhuis uit de appel, snijd de appel ongeschild in kleine
blokjes en besprenkel ze direct met limoensap (knijp partjes limoen
met de hand uit). Dit zorgt ervoor dat de appel niet verkleurt, het verhoogt
de smaak en, minstens zo belangrijk, behoudt de vitamines in de appel.
Vermeng appel, zalm, quinoa, rucola in de mengkom en maak er met
de verse kruidendressing een heerlijke salade van.
Je kunt het afkoelen overslaan en de salade lauw serveren; eet hem in
dat geval meteen, maar deze salade is ook makkelijk mee te nemen
om direct na het sporten te eten!

Voedingswaarde		% ADH
Energie	661 kcal	29 %
Eiwit	38,6 gram	70 %
Koolhydraten	74,4 gram	29 %
Vet	21,5 gram	25 %
Voedingsvezels	7,9 gram	23 %
Vitamine B$_2$	0,35 mg	27 %
Vitamine B$_6$	0,88 mg	59 %
Vitamine B$_{11}$	163,0 mcg	54 %
Vitamine C	86,4 mg	123 %
Vitamine D	15,0 mg	600 %
Natrium	1400 mg	40 %
Zout	3500 mg	
Calcium	110 mg	13 %
IJzer	5,8 mg	47 %
Magnesium	134 mg	45 %

FITNESSPROGRAMMA DAG 10

(Herhaling van dag 9)

WARMING-UP

5 minuten hoelahoepen

KRACHT

Side raises (herhaling van dag 9)

Squat (herhaling van dag 4)

Opdrukken (herhaling van dag 5)

Sit-ups (herhaling dag 6)

Superman (herhaling dag 7 en 8)

REK- EN STREKOEFENING

Schouderstretch (herhaling van dag 9)

Zittende hamstringstretch (zie dag 4)

Borststretch (herhaling dag 5)

Buikspierstretch (herhaling dag 6)

Rug- en bilstretch (herhaling dag 7 en 8)

DAG 11. ONTBIJT ALS EEN KONING

Je drinkt veel water en eet alle dagen fruit. Je shopt slimmer en je koel- en voorraadkast zitten boordevol gezonde etenswaren. Nu is het moment aangebroken om je eetgewoontes onder de loep te nemen!

Sla jij – net als zoveel mensen – het ontbijt over om tijd te besparen of minder kilocalorieën op te nemen? Of omdat je geen honger hebt en liever een kop koffie drinkt om wakker te worden? Eigenlijk wijst dat laatste erop dat je hormoonbalans is verstoord. Door niet te eten, denkt je lichaam dat het verhongert. Daardoor geven de hormonen ghreline (te hoog) en PYY (te laag) je de rest van de dag zo'n hongergevoel dat je blijft grazen en dus uiteindelijk te veel calorieën binnenkrijgt. Als je er eenmaal aan gewend bent om te ontbijten, krijg je 's morgens vanzelf weer trek en zul je de rest van de dag minder snacken. Want een goed ontbijt maakt je lichaam wakker en brengt je stofwisseling op gang.

VOLWAARDIG ONTBIJT

Een volwaardig ontbijt bevat een hoog gehalte aan eiwitten en relatief weinig koolhydraten – met name suikers, want die zorgen voor schommelingen in het bloedsuiker- en insulinegehalte. Daarom is alleen fruit eten in de ochtend – zoals de reclame je wilt laten geloven – geen goed idee. Bovendien bouw je dan ook een tekort op aan eiwitten, vetten en waardevolle vitamines en mineralen. In vloeibare vorm is fruit wel handig, maar het geeft je slechts kortstondig een vol gevoel.

EIWITTEN

Eiwitten geven wél een voldaan gevoel voor een langere tijd en ze verminderen de behoefte aan tussendoortjes. Eieren, kalkoen- of kipfilet als broodbeleg, of yoghurt in combinatie met meergranen, een paar walnoten of cottage cheese zijn goede eiwitbronnen. Koolhydraatrijke ontbijten zoals een boterham met jam, muesli of cornflakes met halfvolle melk (meestal met een flinke schep suiker) zijn minder goede keuzes. Een eiwitrijk ontbijt verlaagt niet alleen de eetlust, maar verhoogt ook het gehalte antihongerhormonen. Het duurt dus langer voor je weer honger krijgt.

VARIATIE

De meeste mensen eten te eenzijdig en nemen uit gewoonte 's ochtends altijd hetzelfde: een boterham met kaas, een beschuitje met jam of een kom cornflakes. Het is beter om af te wisselen. Dan krijg je meer verschillende waardevolle voedingstoffen binnen. Je lichaam schreeuwt dan ook minder snel om eten, omdat je bij het ontbijt alle voedingsstoffen in de juiste hoeveelheden hebt binnengekregen.

VEZELS

Eet minder brood (zeker geen witbrood!), maar kies liever voor havermoutpap. Het hoge vezelgehalte verhindert dat suikers direct in de bloedbaan komen, en daarmee voorkom je een hoge bloedsuikerspiegel. Denk niet dat kant-en-klare ontbijtgranen veel vezels bevatten; ze zitten doorgaans vol toegevoegde suiker en bevatten maar weinig voedingsstoffen.

AN EGG A DAY, KEEPS THE HUNGER AWAY

Het advies van de Nederlandse Hartstichting om niet meer dan drie eieren per week te eten, is volgens veel wetenschappers achterhaald. Amerikaans onderzoek van onder andere The Harvard School of Public Health en The American Egg Nutrition Center toont aan dat één ei per dag de verhouding tussen 'goed' (HDL) en 'slecht' (LDL) cholesterol in het bloed niet wijzigt. Bovendien heeft cholesterol uit voeding slechts een gering effect op de hoeveelheid cholesterol in het bloed. Want het lichaam maakt zelf grotere hoeveelheden cholesterol aan – in de lever en het darmweefsel – dan we gemiddeld via voedsel binnen krijgen.

Het lichaam produceert gemiddeld 600 à 800 mg cholesterol per dag, terwijl we via cholesterolrijke voeding maar 200 à 300 mg innemen. Op basis van dit onderzoek en omwille van de aanwezigheid van andere belangrijke voedingsstoffen in eieren, gaf de Amerikaanse Heart Association nieuwe richtlijnen uit. Daarin staat dat één ei per dag is toegestaan: 'An egg a day is okay.'

Ook op het vlak van voedingswaarde zijn eieren gezond. Een gemiddeld ei bevat maar 70 kcal en is zeer rijk aan belangrijke voedingsstoffen. Het eiwit van een kippenei heeft een aminozuursamenstelling die het meeste overeenkomt met het lichaamseiwit. Je lichaam kan daaruit dus zeer efficiënt eigen lichaamseiwit aanmaken.

Eieren zijn ook een belangrijke bron van omega-3 vetzuren en van de in vet oplosbare vitamines A, D, en E. En ook van vitamines B_1, B_2, B_{12}, foliumzuur en belangrijke mineralen als ijzer, calcium, natrium, fosfor en selenium. Eieren bevatten ook choline en luteïne. Choline – vooral in de dooier – speelt een grote rol bij de aanmaak van een stof die belangrijk is voor het zenuwstelsel. Vooral zwangere vrouwen hebben er baat bij, want de stof helpt bij de ontwikkeling van de hersenen van baby's. Luteïne voorkomt verslapping van de spieren, waaronder ook de hartspier.

Uit een onderzoek gepresenteerd door de European Association for the Study of Diabetes blijkt dat een stevig ontbijt met eiwitten en vet de bloedsuikerspiegel en de bloeddruk beter onder controle houdt voor mensen met diabetes type II. Zij mogen echter niet te veel eieren eten, omdat dit het risico op hart- en vaatziekten verhoogt. Een stevig ontbijt neemt 30 % van de totale hoeveelheid kcal in.

RECEPT DAG 11 EEN EIWITRIJK ONTBIJT

MAGERE KWARK MET ANANAS, DRUIVEN EN BIOLOGISCHE MUESLI

Bereidingstijd

5 minuten

Ingrediënten

250 gram magere kwark

50 gram verse of diepvriesananas,
in blokjes

50 gram druiven, gewassen

40 gram muesli (ruim 2 eetl.)

Bereidingswijze

Vermeng alle ingrediënten in een kom en serveer.

Voedingswaarde		% ADH
Energie	382 kcal	17 %
Eiwit	37,1 gram	68 %
Koolhydraten	47,8 gram	18 %
Vet	3,8 gram	4,5 %
Voedingsvezels	4,1 gram	12 %
Vitamine B_2	0,81 mg	62 %
Vitamine B_6	0,17 mg	11 %
Vitamine B_{11}	36,0 mcg	12 %
Vitamine C	15,1 mg	22 %
Vitamine D	0,0 mg	0,0 %
Natrium	109 mg	3,1 %
Zout	272 mg	
Calcium	364 mg	43%
IJzer	1,0 mg	8,0%
Magnesium	73,0 mg	24%

Een goede tip: stel wat gezonde ontbijtrecepten samen en haal daarvoor de
nodige ingrediënten in huis. Zo hoef je
's morgens niet na te denken over wat je
gaat eten. Leg eventueel de avond
tevoren al wat dingen klaar. Hier vind je
alvast twee lekkere ontbijtrecepten voor
een fantastische start van de dag.

ROEREI MET TOMAAT OP GRANENBROOD

Bereidingstijd

5 minuten

Ingrediënten

2 sneetjes donker volkoren

granenbrood

100 gram tomaat, in partjes

2 eieren

Versgemalen peper en zeezout

Bereidingswijze

Kluts in een kom de eieren los en voeg beetje zout en peper toe.

Verhit een droge wok met antiaanbaklaag (vet/olie is NIET nodig)

Bak de tomaatpartjes kort aan en giet het eimengsel erover.

Laat alles even met rust en roer dan met een spatel goed strak over

de bodem van de pan. Roer snel in grote slagen zodat het ei snel stolt

en niet aanzet.

Als het ei gaar is, is het roerei klaar. (Bak niet te lang, dan wordt

het droog. Het gaart kort na, dus neem de wok van het vuur als het ei

nog iets vochtig is.)

Voedingswaarde		% ADH
Energie	370 kcal	16%
Eiwit	22,7 gram	41%
Koolhydraten	34,4 gram	13%
Vet	14,6 gram	17%
Voedingsvezels	5,1 gram	15%
Vitamine B_2	0,43 mg	33%
Vitamine B_6	0,32 mg	21%
Vitamine B_{11}	142,0 mcg	47%
Vitamine C	24,0 mg	34%
Vitamine D	2,0 mg	80%
Natrium	430 mg	12%
Zout	1075 mg	
Calcium	92,0 mg	11%
IJzer	4,0 mg	32%
Magnesium	78,0 mg	26%

FITNESSPROGRAMMA DAG 11

WARMING-UP

2 x 2 minuten touwtjespringen

KRACHT

Nieuw: Biceps curl (binnenkant bovenarmspier
oefening)
Squat (herhaling van dag 4)
Opdrukken (herhaling van dag 5)
Sit-ups (herhaling van dag 6)
Superman (herhaling van dag 7 en 8)
Side raises (herhaling van dag 9 en 10)

Uitleg: Biceps curl met halters

Ga rechtop staan met je voeten iets uit elkaar en
buig lichtjes door je knieën. Je armen hangen
licht gebogen langs je lichaam. Pak de halter
(1-1,5 kg) met een onderhandse greep en met
je handpalmen naar voren. Adem uit terwijl je
langzaam de armen met een gelijkmatige beweging omhoog brengt. Druk je bovenarmen tegen
je lichaam. Hou je bovenlichaam stil en laat het
niet mee zwaaien met de armbeweging. Doe dit
10 keer en herhaal de oefening 3 keer. Hiermee
train je je voorste bovenarmspier (biceps).

REK- EN STREKOEFENING

Nieuw: Bicepsstretch
Zittende hamstringstretch (herhaling van
dag 4)
Borststretch (herhaling van dag 5)
Buikspierenstretch (herhaling van dag 6)
Rug- en bilstretch (herhaling van
dag 7 en 8)
Schouderstretch (herhaling van
dag 9 en 10)

Uitleg: Bicepsstretch

Vouw je handen achter je rug ineen en breng
je armen omhoog. Voel de stretch in je bovenarmen en borstspieren. Blijf rustig in- en uit
ademen en hou deze positie 15 seconden vast.

DAG 12. EET KLEINERE PORTIES

De hoeveelheid voedsel die je tot je neemt, speelt natuurlijk een belangrijke rol bij een evenwichtig dieet. Als je kleinere porties eet, krijg je vanzelfsprekend minder calorieën binnen, daarom is inzicht in de grootte van een portie essentieel. Want mensen die hun porties controleren, verliezen meer en sneller gewicht.

Voor de meeste vruchten is het gemakkelijk: je telt gewoon het aantal stuks. Voor andere voedingswaren zoals klein fruit, groenten, rijst en pasta, kun je alles afwegen. Het Voedingscentrum adviseert bijvoorbeeld 200 gram groenten per dag. Vind je wegen niet praktisch? Onthoud dan dat 200 gram groente overeenkomt met drie koppen rauwe groente of anderhalve kop gekookte groente. Jammer genoeg kennen we in Nederland geen eenheidsmaat voor een kop. De Amerikanen pakken het slimmer aan: zij hebben standaard maatsetjes voor een kop (cup), een eetlepel en een theelepel. Je vindt die in Nederland trouwens ook in gespecialiseerde kookwinkels. Het voordeel van een maatsetje is dat je snel een goed beeld hebt van een portie en van de hoeveelheden die je eet.

Gebruik altijd hetzelfde serviesgoed. Bij voorkeur het ontbijtservies en -bestek, je schept dan automatisch minder op. Maar door het kleinere bestek eet je ook langzamer, zodat je maag en hersenen op tijd het signaal 'vol' kunnen doorgeven. Schep maar één keer op en laat de pannen in de keuken.

Verander niet alleen je porties door kleinere bekers, kopjes en borden te gebruiken. Pas ook de portiegrootte van de drie hoofdmaaltijden aan.

FITNESSPROGRAMMA DAG 12

(Herhaling van dag 11)

WARMING-UP

2 x 2 minuten touwtjespringen

KRACHT

Biceps curl (herhaling van dag 11)
Squat (herhaling van dag 4)
Opdrukken (herhaling van dag 5)
Sit-ups (herhaling van dag 6)
Superman (herhaling van dag 7 en 8)
Side raises (herhaling van dag 9 en 10)

REK- EN STREKOEFENING

Bicepsstretch (herhaling van dag 11)
Zittende hamstringstretch (herhaling van dag 4)
Borststretch (herhaling van dag 5)
Buikspierenstretch (herhaling van dag 6)
Rug- en bilstretch (herhaling van dag 7 en 8)
Schouderstretch (herhaling van dag 9 en 10)

RECEPT DAG 12 DE MAALTIJD UITGEDRUKT IN PORTIES

WRAP MET EEN VULLING VAN TAUGÉ, AVOCADO, KIP, LIMOEN, TOMAAT EN KERRIE

Bereidingstijd

15 minuten

Ingrediënten

2 wraps (of tortilla's)

1 tomaat, in kleine stukjes

80 gram gerookte kip, in reepjes

½ avocado, in blokjes

80 gram (diepvries)mangoblokjes

1 limoen, in partjes

75 gram taugé, gewassen en gecentrifugeerd

30 gram rucola, gewassen en gecentrifugeerd

150 gram uitgelekte zwarte bonen uit blik

2 takjes verse koriander, fijngesneden

100 ml Thaise zoete chilisaus

Bereidingswijze

Meng in een kom de gesneden tomaat, gerookte kip, avocado, mangoblokjes, uitgeknepen limoensap, taugé, rucola, zwarte bonen en koriander met de chilisaus en kneed alles lichtjes door. Verdeel het mengsel over beide wraps en rol deze mooi strak op.

Voedingswaarde volgens het recept voor 2 wraps		% ADH
Energie	1119 kcal	47 %
Eiwit	48,8 gram	87 %
Koolhydraten	133,3 gram	51 %
Vet	37 gram	44 %
Voedingsvezels	28,6 gram	82 %
Vitamine B_2	0,56 mg	43 %
Vitamine B_6	1,1 mg	73 %
Vitamine B_{11}	164 mcg	55 %
Vitamine C	126 mg	179 %
Vitamine D	0,0 mg	0,0 %
Natrium	1110 mg	32 %
Zout	2775 mg	
Calcium	173 mg	20 %
IJzer	6,8 mg	54 %
Magnesium	137 mg	46 %

NB 'verschillende gezichten' van de wrap

Grote maaltijd: 2 wraps (voor als je echt honger hebt)

Lunch: 1 wrap

Tussendoortje: ½ wrap

Hapje tussendoor: ¼ wrap

DAG 13. EET EEN GEZONDE LUNCH

Sla de lunch niet over, want dan krijg je trek in de late namiddag en ga je (hoogcalorische) snacks snoepen.

Eet zo min mogelijk brood. Eén broodmaaltijd per dag is voldoende. Een gezonde lunch bestaat uit een basis van eiwitrijke producten (minstens 100 gram magere vleeswaren en noten), aangevuld met een gezonde variatie groenten. Salades zijn ideaal. Je kunt ze gemakkelijk vooraf klaarmaken en meenemen naar het werk. Breng ze op smaak met verschillende soorten azijn (balsamico, frambozen- of rijstazijn) of zelfgemaakte dressings op basis van olijf-, walnoot- of lijnzaadolie. Voeg er nog wat lente-uitjes, tomaten, walnoten, pijnboompitten, tonijn of ansjovis aan toe.

DE POSITIEVE BIJDRAGE VAN AZIJN

Azijn onderdrukt de trek omdat het actieve ingrediënt (azijnzuur) de vertering vertraagt en sneller een vol gevoel geeft. Azijn verlaagt ook het bloedsuikergehalte en voorkomt zo hoge pieken in het insulinegehalte. Leer verschillende soorten azijn te waarderen en te gebruiken bij zoveel mogelijk maaltijden. Of eet je brood met olie en azijn, precies zoals ze dat in mediterrane landen doen.

Nog een goed lunchidee: omelet met groenten en champignons. Die maak je van tevoren klaar en eet je desnoods koud. Of misschien heb je restjes van je vorige warme maaltijd? Die zijn vaak ook koud lekker. Denk maar aan een wrap met groenten, vlees, vis of ei. Smakelijk!

RECEPT DAG 13 EEN GEZONDE LUNCH

PLUKSLA, SINAASAPPEL, GEMBER, WALNOOT, VIJGEN, NOTENOLIE EN GEROOKTE KIP

Bereidingstijd

10 minuten

Ingrediënten

60 gram gemengde pluksla (een mix van eikenbladsla,

lollo rosso, lollo bianco, frisee, rucola, bietenblad)

5 gram geschilde gemberwortel, geraspt

10 ml notenolie

1 sinaasappel

60 gram gerookte kip, in reepjes

1 gedroogde vijg, in dunne reepjes

20 gram walnoten

Bereidingswijze

Doe de gemengde sla in een grote mengkom.

Zet de sinaasappel op een snijplank en snijd aan boven- en onderkant
een dun schijfje af. Snijd daarna met een scherp mes de schil met het
witte vlies rondom van de vrucht af en volg daarbij de bolling (het mag
geen vierkante vrucht worden).

Roer de geraspte gember en notenolie in een klein kommetje door elkaar
en snijd hierboven de parten vruchtvlees tussen de vliezen uit, zodat het
uitlopende sap in het kommetje terechtkomt.

Doe de sinaasappelparten bij de sla en knijp de lege vliezen goed uit
boven het kommetje met de olie; meng alles tot een smakelijke dressing.

Meng de sla, noten, vijgen en dressing tot deze smaakvolle
gezonde salade.

Voedingswaarde		% ADH
Energie	629 kcal	27 %
Eiwit	22,0 gram	40 %
Koolhydraten	54,4 gram	21 %
Vet	32,7 gram	39 %
Voedingsvezels	14,4 gram	41 %
Vitamine B_2	0,25 mg	19 %
Vitamine B_6	0,87 mg	58 %
Vitamine B_{11}	72,0 mcg	24 %
Vitamine C	155 mg	221 %
Vitamine D	0,0 mg	0,0 %
Natrium	395 mg	11 %
Zout	987 mg	
Calcium	231 mg	27 %
IJzer	3,0 mg	24 %
Magnesium	121 mg	41 %

PASTA MET AVOCADO, TONIJN, APPEL, RUCOLA, OLIJVEN

Bereidingstijd

10 minuten

Ingrediënten

75 gram volkorenpasta

100 gram tonijn op water uit blik, uitgelekt

1 appel, ongeschild in blokjes, besprenkeld met limoensap

100 gram olijven

30 gram rucola, gewassen en gecentrifugeerd

versgemalen peper

Bereidingswijze

Kook de pasta in ruim kokend water met zout in circa 8 minuten
beetgaar, giet hem af in een vergiet en spoel kort af met koud water.

Meng in een kom de tonijn met appel, rucola en olijven en een draai
versgemalen peper.

Kneed alles licht door en de salade is meteen lekker op smaak door
de pure ingrediënten.

Voedingswaarde		% ADH
Energie	589 kcal	26 %
Eiwit	37,3 gram	68 %
Koolhydraten	64,5 gram	25 %
Vet	16,9 gram	20 %
Voedingsvezels	14,6 gram	33 %
Vitamine B_2	0,3 mg	23 %
Vitamine B_6	0,83 mg	55 %
Vitamine B_{11}	23,0 mcg	7,7 %
Vitamine C	17,0 mg	24 %
Vitamine D	0,4 mg	16 %
Natrium	2450 mg	70 %
Zout	6125 mg	
Calcium	145 mg	17 %
IJzer	5,3 mg	42 %
Magnesium	130 mg	43 %

RODEKOOLSALADE MET ROZIJNEN, APPEL, LINZEN EN BALSAMICODRESSING

Bereidingstijd

10 minuten

Ingrediënten

150 gram rodekool, fijn geschaafd

1 appel, ongeschild in blokjes en besprenkeld met limoensap

100 gram groene linzen

50 gram rode linzen

Balsamicodressing:

1 eetl. balsamicoazijn, 2 eetl. olijfolie, mespunt mosterd,

1 eetl. honing, 2 theel. biologisch geroosterd sesamzaad

Bereidingswijze

Kook beide soorten linzen afzonderlijk in ruim water in 10-15 minuten gaar. Let op: voeg geen zout toe, want dan blijven de vliesjes zacht en de linzen mooi heel!

Giet beide soorten linzen af en laat afkoelen.

Roer de ingrediënten voor de balsamicodressing door elkaar en kneed de dressing lichtjes door de rodekool. Meng de appelblokjes erdoor, gevolgd door de linzen.

Breng de salade zo nodig op smaak met versgemalen peper en zout.

Voedingswaarde		% ADH
Energie	577 kcal	26 %
Eiwit	34,3 gram	62 %
Koolhydraten	89,0 gram	34 %
Vet	2,6 gram	3,1 %
Voedingsvezels	30,4 gram	87 %
Vitamine B_2	0,23 mg	18 %
Vitamine B_6	0,82 mg	55 %
Vitamine B_{11}	40,0 mcg	13 %
Vitamine C	98,5 mg	141 %
Vitamine D	0,0 mg	0,0 %
Natrium	38,0 mg	1,1 %
Zout	95,0 mg	
Calcium	370 mg	44 %
IJzer	18,0 mg	144 %
Magnesium	403 mg	134 %

FITNESSPROGRAMMA DAG 13

WARMING-UP

5 minuten hoelahoepen

KRACHT

Nieuw: Triceps dipping (oefening voor de achterkant van de bovenarmspier)

Squat (herhaling van dag 4)

Opdrukken (herhaling van dag 5)

Sit-ups (herhaling van dag 6)

Superman (herhaling van dag 7 en 8)

Side raises (herhaling van dag 9 en 10)

Biceps curl (herhaling van dag 11 en 12)

Uitleg: Triceps dipping

Ga op een stevige stoel of bank zitten met je handen op de voorste rand van de zitting en je vingers naar voren. Steun op je handen en zet je voeten zo ver vooruit dat je zitvlak zich voor de stoelzitting bevindt. Je billen en bovenbenen maken nu een hoek van 90 graden met je onderbenen. Je voeten staan plat op de grond. Adem in terwijl je je langzaam naar de vloer laat zakken, tot je bovenarmen een hoek van 90 graden maken met je onderarmen. Adem uit terwijl je je armen gebruikt om je weer op te drukken tot de beginpositie. Doe dit 10 keer en herhaal de oefening 3 keer. Hiermee train je je achterste bovenarmspier (triceps).

REK- EN STREKOEFENING

Nieuw: Tricepsstretch

Zittende hamstringstretch (zie dag 4)

Borststretch (herhaling van dag 5)

Buikspierstretch (herhaling van dag 6)

Rug- en bilstretch (herhaling van dag 7 en 8)

Schouderstretch (herhaling van dag 9 en 10)

Bicepsstretch (herhaling van dag 11 en 12)

Uitleg: Tricepsstretch

Breng één arm recht omhoog en buig hem met je hand richting je rug. Pak met je andere arm je elleboog vast en geef lichte druk naar beneden. Je voelt de stretch in de achterkant van je bovenarm. Blijf rustig in- en uitademen en hou deze positie 15 seconden vast. Stretch daarna de andere zijde.

DAG 14. SNOEP VERANTWOORD

Vraag mensen of ze veel snoepen en ze zeggen doorgaans van niet, terwijl er nauwelijks mensen zijn die niet snoepen. En dat heeft alles te maken met de grote verleidingen die ons omringen. Voor de duidelijkheid: snoep en koek is per definitie niet gezond. Het is suiker met een smaakje, een kleurtje, veel verzadigde vetten, veel calorieën en geen voedingsstoffen. Gezond of verantwoord snoepen is bijna onmogelijk. Je kunt er dus beter gewoon mee ophouden. Vanaf vandaag. Onmogelijk? Nee. Moeilijk? Ja. Want snoepen is in zekere zin toch een verslaving.

Die zak drop op je bureau moet leeg tegen het einde van de dag. En als die zak er niet is, word je onrustig.

Zijn er goede alternatieven? Nauwelijks. Je zou die drop kunnen vervangen door een doosje met rozijntjes, gedroogd fruit, een hardgekookt eitje (zonder zout) of een handjevol (niet meer dan 15) ongebrande, ongezouten amandelen of walnoten.

POPCORN, EEN GEZOND ALTERNATIEF

Volgens Amerikaanse wetenschappers van de University of Scranton in Pennsylvania is popcorn uitermate gezond door het hoge gehalte antioxidanten (polyfenolen), de voedingsvezels en het beperkte aantal kcal. We hebben het hier wel over de popcorn die je zelf maakt uit de hele maïskorrel, en met weinig plantaardige olie. De kant-en-klare versie bevat meestal veel zout, suiker en verzadigd vet.

RECEPT DAG 14 SNOEP VERSTANDIG

PLAK KOMKOMMER MET PARMAHAM EN DILLE

Bereidingstijd
5 minuten

Ingrediënten
sap van 1 limoenpartje
1 eetl. verse dille, fijngehakt
enkele plakken parmaham
1 komkommer, in plakjes

Bereidingswijze
Meng het limoensap door de dille en bestrijk de komkommerplakjes ermee.

Wikkel een plakje parmaham om de komkommer en rijg dit pakketje aan een spies of cocktailprikker.

Hapje klaar!

Voedingswaarde		% ADH
Energie	124 kcal	4,0 %
Eiwit	11,2 gram	20 %
Koolhydraten	8,2 gram	3,2 %
Vet	5,0 gram	5,9 %
Voedingsvezels	0,7 gram	2,0 %
Vitamine B$_2$	0,13 mg	10 %
Vitamine B$_6$	0,18 mg	12 %
Vitamine B$_{11}$	19,0 mcg	6,3 %
Vitamine C	17,0 mg	24 %
Vitamine D	0,0 mg	0,0 %
Natrium	711 mg	20 %
Zout	1777 mg	
Calcium	37,2 mg	4,4 %
IJzer	1,6 mg	13 %
Magnesium	23,5 mg	7,8 %

CHOCOLADESNACK MET VIJGEN, ROZIJNEN EN WALNOOT

Bereidingstijd

10 minuten

Ingrediënten

30 gram pure chocolade

20 gram gedroogde biologische vijgen, in plakjes

20 gram biologische rozijnen (sultana)

8 halve walnoten

bakpapier om op af te werken

Bereidingswijze

Doe de chocola in een vuurvaste kom, zet hem op een pan met net
niet kokend water (het water mag de bodem van de kom niet raken)
en laat de chocola rustig smelten.

Laat de temperatuur van de chocola niet boven 32 °C komen.

Voeg de plakjes vijg, rozijnen en halve walnoten toe en meng
alles goed.

Leg een stuk bakpapier op het aanrecht.

Vis als eerste de walnoten uit de pan en leg deze naast elkaar
op het bakpapier.

Verdeel met een lepeltje de vijgenstukjes met de aanhangende
chocola op de walnoten en schep het overgebleven chocolademengsel
gelijkmatig over de walnoothoopjes. Laat de chocoladesnacks opstijven.

Je hebt nu 8 zelfgemaakte, gezonde 'snoepjes'.

Voedingswaarde		% ADH
Energie	349 kcal	15 %
Eiwit	4,5 gram	8,2 %
Koolhydraten	40,3 gram	16 %
Vet	17,7 gram	21 %
Voedingsvezels	5,1 gram	15 %
Vitamine B_2	0,11 mg	8,5 %
Vitamine B_6	0,16 mg	11 %
Vitamine B_{11}	10,0 mcg	3,3 %
Vitamine C	1,1 mg	1,6 %
Vitamine D	0,0 mg	0,0 %
Natrium	18 mg	0,5 %
Zout	45 mg	
Calcium	75 mg	8,8 %
IJzer	2 mg	16 %
Magnesium	72 mg	24 %

CHOCOLADE, DE LEKKERSTE DIKMAKER

Met 40 % vet en ruim 500 kcal per 100 gram is chocolade een echte dikmaker. En toch zijn vrouwen er gek op – ook als ze om hun lijn geven – en worden ze soms overvallen door een onweerstaanbare trek in chocolade. Die acute chocoladehonger zou gerelateerd zijn aan de menstruatie-cyclus en te maken hebben met de ver-hoogde hormoonspiegel van progesteron. Daardoor vergroot de vetopslag en neemt de trek in vette etenswaren toe. Die drang kan zo erg zijn dat hij je niet meer loslaat tot je 'scoort'. En ook al neem je je voor om maar één stukje te eten, die doos bonbons of die reep chocolade zijn op voor je het goed en wel beseft.

Is er een verklaring?

Pure, donkere chocolade (met minimaal 65 % cacao en geen andere vetten dan cacaoboter) bevat ongeveer 1,5 % theobro-mine: een aan cafeïne verwante stof met een enigszins opwekkende en licht verslavende werking. De stof werkt in op de psyche, wat wellicht verklaart waarom we sneller naar chocolade grijpen dan naar andere zoetig-heid als we ons rot voelen. Daar komt nog bij dat het vet in chocolade (cacaoboter) een hoog oliezuurgehalte heeft (een enkel-voudig onverzadigd vetzuur) met een smelt-traject dat net onder de lichaamstemperatuur ligt. Chocolade smelt in de mond en onttrekt warmte aan de mondholte, wat een verkoe-lende en prettige sensatie teweegbrengt. Een andere reden heeft te maken met de bereidingswijze. De vruchten die de ca-caobonen bevatten, worden na de pluk gedroogd. Vervolgens worden de bonen met vruchtvlees in kisten gelegd en met bananen-bladeren afgedekt. In het warme, vochtige klimaat komt een fermentatieproces op gang. En daarbij ontstaan biogene aminen, waar-van fenylethylamine de bekendste is. In een reep chocolade van 100 gram zit ongeveer 0,7 gram van die stof. Ze werkt een beetje zoals serotonine: ze verbetert je stemming en je zelfvertrouwen. Volgens sommige we-tenschappers verhoogt ze zelfs de seksuele activiteit...

Een derde theorie over de verslavende werking van chocolade heeft te maken met opiaten – ook een gevolg van de bereidings-wijze. Tijdens een van de stappen in het pro-ductieproces, wordt de chocolademassa met suiker langdurig onder verwarming gekneed (concheren). Hierdoor zouden uit de eerder genoemde biogene aminen stoffen met een opiaatachtige werking (exorfinen) worden gevormd.

Je hoeft al deze complexe termen niet te begrijpen. Onthou gewoon dat chocolade een gecompliceerde lekkernij is én een echte dikmaker. De troost die je ervan krijgt, wordt al snel tenietgedaan door de weegschaal...

**Voedingswaarden van chocolade,
kokoskoek, chips en friet**

	Chocolade (puur)	Kokoskoek	Chips (naturel)	Friet (met mayo)
Gewicht	100 g	100 g	100 g	100 g
Kcal	512	550	546	327
Eiwit	5,3	5,5	5,5	4,1
Koolhydraten,	49,0	53,0	43,0	37,2
waarvan suikers	49,0	30,0	2,6	1,5
Vet	33,0	35,0	39,5	18,0
Verzadigd vet	20,2	22,0	7,7	7,4
Gezondheidscijfer	5,7	4,6	3,3	5,6
Gevoelswaarde	6,5	6,3	6,4	7,5

FITNESSPROGRAMMA DAG 14

(Herhaling va dag 13)

WARMING-UP

5 minuten hoelahoepen

KRACHT

Triceps dipping (herhaling van dag 13)

Squat (herhaling van dag 4)

Opdrukken (herhaling van dag 5)

Sit-ups (herhaling van dag 6)

Superman (herhaling van dag 7 en 8)

Side raises (herhaling van dag 9 en 10)

Biceps curl (herhaling van dag 11 en 12)

REK- EN STREKOEFENING

Tricepsstretch (herhaling van dag 13)

Zittende hamstringstretch (zie dag 4)

Borststretch (herhaling van dag 5)

Buikspierstretch (herhaling van dag 6)

Rug- en bilstretch (herhaling van dag 7 en 8)

Schouderstretch (herhaling van dag 9 en 10)

Bicepsstretch (herhaling van dag 11 en 12)

DAG 15. VERWEN JEZELF

Je volgt nu al twee weken het programma op weg naar gezonde eet- en leefgewoontes. Tijd om een inventaris te maken en een rustdag in te lassen. Want na een mooie prestatie mag je jezelf belonen. Met een nieuwe jurk, een bezoekje aan de schoonheidsspecialist of een lekker dinertje. Ja, hoor, je mag best weleens een overdadige maaltijd eten of vanavond uit eten in je favoriete restaurant. Trouwens, ook dáár kun je gezonde en lekkere keuzes maken. En de sfeer van het restaurant geeft vaak ook een fijn gevoel dat je als een beloning ervaart.

Belonen hoort bij het leven en voorkomt dat je je down voelt. Je kunt uitkijken naar een beloning zoals je je kunt verheugen op een leuke vakantie. Een beloning motiveert en helpt je om een gezond eetpatroon te volgen en vol te houden. Want dat vraagt zelfdiscipline en wilskracht. Een ongezond eetpatroon is gemakkelijk. Het kost je geen stress, geeft veel voldoening en is niet duur. Ongezonde maaltijden zijn gemakkelijk klaar te maken of af te halen bij de Chinees en zijn meestal nog lekker ook. Maar ze zijn wel heel slecht voor je. En je hebt je tenslotte voorgenomen om aan je gezondheid te werken. Met dit boek is dat helemaal niet zo moeilijk. Stoppen met roken is moeilijk. Leven met kanker is moeilijk. Dit is een makkie.

RECEPT DAG 15 HET 'LAATSTE AVONDMAAL'

**VARKENSHAAS MET CHAMPIGNON-ROOMSAUS,
ROLLETJES VAN HARICOTS VERTS EN GEBAKKEN AARDAPPELTJES**

Bereidingstijd

30 minuten

Ingrediënten

200 gram fijne sperzieboontjes (haricots verts), afgehaald

5 plakjes mager gerookt buikspek

30 gram boter

1 varkenshaas van 175 gram

10 ml olijfolie

200 gram aardappels, in plakjes, kort voorgekookt

1 teen knoflook, fijngesneden

1 theel. gedroogde rozemarijn

30 gram ui, fijngesneden

125 gram champignons, in vieren

50 ml witte wijn

150 ml kookroom

versgemalen peper en zout

Voedingswaarde		% ADH
Energie	1526 kcal	68 %
Eiwit	62,2 gram	113 %
Koolhydraten	56,4 gram	22 %
Vet	113,1 gram	133 %
Voedingsvezels	16,7 gram	48 %
Vitamine B_2	1,26 mg	97 %
Vitamine B_6	1,87 mg	125 %
Vitamine B_{11}	214 mcg	71 %
Vitamine C	84,0 mg	120 %
Vitamine D	1,0 mg	40 %
Natrium	214 mg	6,1 %
Zout	535 mg	
Calcium	335 mg	39 %
IJzer	8,0 mg	64 %
Magnesium	176 mg	59 %

Bereidingswijze

Kook de haricots verts in kokend water met zout in circa 4 minuten beetgaar, giet ze af en laat ze afkoelen.

Verdeel de koude boontjes in 5 bosjes en rol elk bosje strak in een plakje ontbijtspek.

Verhit de boter in een wok, bestrooi de varkenshaas met wat peper en zout, bak hem rondom mooi bruin en laat het vlees circa 10 minuten om en om zachtjes doorgaren.

Bak intussen in de olijfolie de aardappelschijfjes goudbruin met een beetje van de knoflook, gemalen rozemarijn en wat peper en zout.

Haal de varkenshaas uit de pan en laat hem afgedekt kort rusten. Roerbak ui, knoflook en champignons in het achtergebleven bakvet van het vlees.

Giet de witte wijn erbij en laat de alcohol al bruisend verdampen. Voeg de kookroom toe en laat deze champignonsaus kort inkoken. Breng zo nodig op smaak met versgemalen peper en zout.

Je kunt de roomsaus als je wilt licht binden met allesbinder of aardappelmeel dat je met een scheut water glad roert.

Leg de varkenshaas nog even in de saus.

Verhit een klein pannetje met antiaanbaklaag en bak hierin zachtjes de spekrolletjes om en om tot het spek lekker knapperig is en de boontjes warm zijn. Schik alle gerechten op een mooi bord.

FITNESSPROGRAMMA DAG 15

WARMING-UP

2 x 2 minuten touwtjespringen

KRACHT

Nieuw: Calf raises (kuitoefening)

Squat (herhaling van dag 4)

Opdrukken (herhaling van dag 5)

Sit-ups (herhaling van dag 6)

Superman (herhaling van dag 7 en 8)

Side raises (herhaling van dag 9 en 10)

Biceps curl (herhaling van dag 11 en 12)

Triceps dipping (herhaling van dag 13 en 14)

Uitleg: Calf raises

Plaats twee voeten op dezelfde traptrede of dikke plank, met je hielen over de rand van de verhoging. Adem in en laat je lichaam zo ver mogelijk zakken. Ga bij de uitademing zo hoog mogelijk op je tenen staan. Dit is ook een goede evenwichtsoefening. Verlies je snel je evenwicht? Hou je dan vast aan de trapleuning. Je lichaam blijft tijdens de oefening strak rechtop met je armen langs je zijden. Maak de oefeningen moeilijker met halters. Doe dit 15 keer en herhaal de oefening 3 keer. Hiermee train je je kuiten.

REK- EN STREKOEFENING

Nieuw: Kuitstretch (calf stretch)

Zittende hamstringstretch (zie dag 4)

Borststretch (herhaling van dag 5)

Buikspierstretch (herhaling van dag 6)

Rug- en bilstretch (herhaling van dag 7 en 8)

Schouderstretch (herhaling van dag 9 en 10)

Bicepsstretch (herhaling van dag 11 en 12)

Tricepsstretch (herhaling van dag 13 en 14)

Uitleg: Kuitstretch

Ga op een kleine verhoging staan (onderste traptrede, dikke plank) met de voorkant van je voet, ongeveer tot het midden van de bal van de voet. Je hielen steken over de rand van de verhoging. Breng een hiel naar beneden en voel de stretch in je kuit. Blijf rustig in- en uitademen en hou deze positie 15 seconden vast. Stretch vervolgens de andere zijde.

DAG 16. SNACK VERSTANDIG

De ochtend- en middagsnack maken ook deel uit van je dagelijkse voedingspatroon. Neem je een stevig eiwitrijk ontbijt, dan heb je meestal geen behoefte aan een ochtendsnack. Heb je toch een hongergevoel rond 10 à 11 uur? Eet dan een gezonde snack die je van thuis meeneemt. Enkele voorbeelden: een frisse salade met cottage cheese of feta, een stuk fruit, een gekookt eitje, een halve volkoren boterham met kalkoenfilet, een klein schaaltje Griekse yoghurt of kefir met amandelen of een dadel in een plakje mager vleeswaar. Eet in ieder geval niet te veel koolhydraatrijke producten. Zo hou je je bloedsuikerspiegel op peil zonder grote pieken en dalen.

Gewoonlijk is de tijd tussen de lunch en het avondeten te lang. Vijf uur overbruggen zonder brandstof lukt niet zo goed. Daarom eet je het best een proteïnerijke snack met een hoog volume. Groenten en fruit alleen zijn geen goede middagsnack, want hoewel ze gezond zijn, vullen ze minder. En daardoor heb je snel weer honger.
Heb je behoefte aan iets hartigs? Laat de chips en de crackers links liggen. Drink liever een kop zelfgemaakte soep – laat de zoute, industriële varianten liever onaangeroerd!

DR. PEPPER EN DE GETALLEN 10, 2 EN 4

De getallen 10, 2 en 4 zijn in de Verenigde Staten onlosmakelijk verbonden met Dr. Pepper. Hoezo? Wel, de arts Walter Eddy bestudeerde het menselijke metabolisme en ontdekte dat het een natuurlijke energiedip heeft op drie tijdstippen: tien uur 's morgens, twee en vier uur 's middags. Hij ontdekte ook dat die dip te vermijden is door op die momenten energierijk te eten of te drinken. Het reclameteam van Dr. Pepper pikte dit nieuwtje meteen op en adverteerde dat je Dr. Pepper moest drinken om het energieniveau in je lichaam op peil te houden. Want Dr. Pepper leste niet alleen de dorst, maar gaf ook extra energie door de hoeveelheid suiker. De reclameslogans uit die tijd luidden: 'Drink a bite to eat at 10, 2 and 4' en 'The friendly Pepper-Upper'.
Het team van Cup-a-Soup deed iets gelijkaardigs in zijn reclamecampagnes, dat spoorde consumenten aan om de natuurlijke energiedip rond vier uur te verhelpen met soep.

WEL OF NIET SNACKEN TUSSENDOOR?

Voedingsdeskundigen en dieetgoeroes zijn het er nog niet over eens: mag je nu wel of niet snacken tussendoor?

De een zegt van niet, want snacken tussen de maaltijden neigt naar grazen. Bovendien grijp je al snel naar snoep en ongezonde, hoogcalorische snacks die overvloedig beschikbaar en verleidelijk zijn. Het advies is dan om maar uit te vinden hoeveel je per maaltijd moet eten om de periode ertussen zonder honger door te komen.

De ander zegt dat je de natuurlijke energie-dip van het lichaam moet bestrijden met een gezonde snack. Want als de tijd tussen de maaltijden meer dan drie uur bedraagt, vertraagt de stofwisseling. Een gezond tussen-doortje houdt de stofwisseling aan de gang, wat belangrijk is bij afvallen.

Een derde vindt dat je in eerste instantie honger moet voorkomen en de stofwisseling zo goed mogelijk aan de gang moet houden. Dat doe je bijvoorbeeld door drie hoofd-maaltijden te vervangen door zes kleinere, waarbij je wel de hoeveelheid calorieën per maaltijdmoment in de gaten moet houden.

De waarheid zal wel ergens in het midden liggen.

RECEPT DAG 16 SNACK VERSTANDIG

RIJSTWAFEL MET KIPFILET EN AVOCADO

Bereidingstijd

5 minuten

Ingrediënten

1 rijstwafel

1 plakje gebraden kipfilet (vleeswaar)

Voor de spread

1 avocado, geschild, pit verwijderd

1 teentje knoflook, gepeld

1 rode chilipeper, steeltje en zaadlijsten verwijderd

1 limoen, uitgeperst

1 tomaat, in parten

Bereidingswijze

Mix in een keukenmachine (of met een staafmixer) avocadovrucht-
vlees, knoflook, chilipeper, limoensap en tomaat tot een grove
of fijne guacamole.

Smeer een laagje hiervan op de rijstwafel en leg het plakje
kipfilet erop.

Je kunt deze spread van tevoren maken en in een goed afgesloten
bakje in de koelkast bewaren, roer de spread voor gebruik even door,
omdat de bovenkant iets kan verkleuren. Als je de avocadopit in de
spread drukt, zal hij minder snel verkleuren.

Voedingswaarde per stuk met circa 20 g spread		% ADH
Energie	83 kcal	3,6 %
Eiwit	3,7 gram	6,7 %
Koolhydraten	6,7 gram	2,6 %
Vet	4,3 gram	5,1 %
Voedingsvezels	1,3 gram	3,7 %
Vitamine B_2	0,02 mg	1,5 %
Vitamine B_6	0,14 mg	9,3 %
Vitamine B_{11}	5,7 mcg	1,9 %
Vitamine C	2,0 mg	2,9 %
Vitamine D	0,0 mg	0,0 %
Natrium	77 mg	2,2 %
Zout	193 mg	
Calcium	5,4 mg	0,6 %
IJzer	0,1 mg	0,6 %
Magnesium	17,4 mg	5,8 %

HANDJE STUDENTENHAVER (PORTIE VAN CIRCA 30 G)

Bereidingstijd

5 minuten

Ingrediënten

100 gram studentenhaver:

mix van noten (meestal amandelen,

cashewnoten, hazelnoten, paranoten,

pecan- of walnoten) en rozijnen

Bereidingswijze

Studentenhaver nemen op snackmoment.

Voedingswaarde		% ADH
Energie	169 kcal	7,0 %
Eiwit	2,8 gram	5,2 %
Koolhydraten	12,0 gram	4,6 %
Vet	11,7 gram	14 %
Voedingsvezels	2,5 gram	7,1 %
Vitamine B2	0,03 mg	2,1 %
Vitamine B6	0,03 mg	2,2 %
Vitamine B11	33,3 mcg	11,1 %
Vitamine C	0,4 mg	0,6 %
Vitamine D	0,0 mg	0,0 %
Natrium	6,7 mg	0,2 %
Zout	16,8 mg	
Calcium	36,7 mg	4,3 %
IJzer	0,8 mg	6,7 %
Magnesium	53,3 mg	17,8 %

VERS HANDFRUIT (GEMIDDELDE VAN DIVERSE FRUITSOORTEN, ZOALS APPEL, PEER, SINAASAPPEL EN BANAAN)

Bereidingstijd

5 minuten

Ingrediënten

fruit naar keuze: appel, peer, sinaasappel en banaan

Bereidingswijze

Was en/of schil of pel een vrucht en eet ze uit de hand, of snijd ze in stukjes en maak er een salade van. Voeg naar smaak wat citroensap of een scheutje likeur toe. Ook munt is lekker in een vruchtensalade.

Fruit is nog altijd een belangrijk onderdeel voor een gezond snackmoment.

Voedingswaarde		% ADH
Energie	67 kcal	3,0 %
Eiwit	0,9 gram	1,6 %
Koolhydraten	14,1 gram	5,4 %
Vet	0,2 gram	0,2 %
Voedingsvezels	2,8 gram	8,0 %
Vitamine B_2	0,04 mg	3,1 %
Vitamine B_6	0,13 mg	8,7 %
Vitamine B_{11}	11,3 mcg	3,8 %
Vitamine C	22,8 mg	32 %
Vitamine D	0,0 mg	0,0 %
Natrium	3,3 mg	0,1 %
Zout	8,3 mg	
Calcium	66,2 mg	7,8 %
IJzer	0,7 mg	5,2 %
Magnesium	13,5 mg	4,5 %

FITNESSPROGRAMMA DAG 16

(Herhaling van dag 15)

WARMING-UP

2 x 2 minuten touwtjespringen

KRACHT

Calf raises (herhaling van dag 15)
Squat (herhaling van dag 4)
Opdrukken (herhaling van dag 5)
Sit-ups (herhaling van dag 6)
Superman (herhaling van dag 7 en 8)
Side raise (herhaling van dag 9 en 10)
Biceps curl (herhaling van dag 11 en 12)
Triceps dipping (herhaling van dag 13 en 14)

REK- EN STREKOEFENING

Kuitstretch (herhaling van dag 15)
Zittende hamstringstretch (zie dag 4)
Borststretch (herhaling van dag 5)
Buikspierstretch (herhaling van dag 6)
Rug- en bilstretch (herhaling van dag 7 en 8)
Schouderstretch (herhaling van dag 9 en 10)
Bicepsstretch (herhaling van dag 11 en 12)
Tricepsstretch (herhaling van dag 13 en 14)

DAG 17. LAAT JE NIET GAAN OP MOEILIJKE MOMENTEN

Stel, je volgt al een tijdje een streng dieet. En dan krijg je plots een onbedwingbare eetlust bij een speciale gelegenheid – feestje, vakantie… Je eet zoveel je kunt en voelt je nadien schuldig over je gebrek aan zelfdiscipline. Maar klopt dat wel? In feite zette je lichaam je er ongemerkt toe aan om zoveel mogelijk te eten. Want het ging ervan uit dat dit het enige voedsel zou zijn in een lange tijd. Dit is natuurlijk precies de reden waarom zo'n streng dieet af te raden is. Hou je liever aan de verantwoorde routine van de voorbije zestien dagen – ook op verjaardagen of als je uit eten gaat. Neem steevast het kleinste gebakje bij de koffie of sla het gewoon over. Drink langzaam en met mate. Stort je niet als een uitgehongerde op de borrelnootjes. En maak vooral verantwoorde keuzes als je uit eten gaat. De meeste chef-koks strooien immers graag met boter en romige sauzen voor extra smaak. De pastaschotel uit het restaurant bevat dan ook doorgaans dubbel zoveel calorieën als diezelfde pastaschotel die je thuis maakt. Geef daarom de voorkeur aan schotels die zo min mogelijk bewerkt voedsel bevatten: (groene) salades, verse groenten, mager vlees, kip en vis in plaats van schnitzels, gefrituurde vis, gebakken aardappelen en friet.

> **WAAROM IS VET LEKKER?**
> Simpel: het geeft smaak. De meeste smaakstoffen (zowel natuurlijke als synthetische) zijn alleen oplosbaar in vet. Vet geeft dus smaak omdat er smaakstoffen en aroma's in zijn opgelost. Voedsel met weinig vet is wat smakeloos. Daarom kookt de chef-kok met veel boter en room. Ook een rijk geaderd stuk vlees heeft een veel vollere smaak dan een magere biefstuk. Vet zorgt bovendien voor een lekkere geur en maakt het voedsel smeuïg, wat een aangenaam mondgevoel geeft. Vet maakt eten milder en haalt de scherpe kantjes eraf.

Vraag als je uit eten gaat naar de portiegrootte en kies resoluut voor kleine porties. Neem fruit in plaats van roomijs als dessert, of sla het gewoon over en eindig je maaltijd met een kopje koffie of thee.

Ga niet met een knorrende maag uit eten. Als je overdag maaltijden overslaat om 'plaats' te sparen voor 's avonds, ben je zo hongerig dat je veel meer eet dan anders. Bovendien vertraagt je stofwisseling als je maaltijden overslaat. Eet overdag normaal, zodat je in het restaurant verantwoorde keuzes maakt en meer plezier beleeft aan het eten. Heb je eens geen zin om je aan deze adviezen te houden? Let dan de volgende dagen een beetje extra op de calorieën en beweeg iets meer dan gewoonlijk.

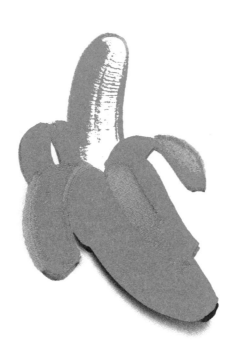

RECEPT DAG 17 EET EENS VEGETARISCH

VEGETARISCHE MAALTIJD VAN KIKKERERWTEN, RATATOUILLE IN EEN SAUS VAN POMPOEN, KNOFLOOK EN BIESLOOK

Bereidingstijd

20 minuten

Ingrediënten

5 ml olijfolie

1 klein teentje knoflook

150 gram vers pompoenvlees, in kleine stukjes

groentebouillon

¼ bosje bieslook, fijngeknipt

10 ml olijfolie

100 gram courgette, in dikke repen

100 gram aubergine, in dikke repen

30 gram rode ui, in blokjes

1 teen knoflook, fijngesneden

koriander, fijngesneden

100 gram rode, gele en groene paprika, vruchtvlees in grove stukken

150 gram kikkererwten uit blik, uitgelekt en afgespoeld

versgemalen peper en zeezout

Voedingswaarde		% ADH
Energie	497 kcal	22 %
Eiwit	19,8 gram	36 %
Koolhydraten	48,4 gram	19 %
Vet	21,0 gram	25 %
Voedingsvezels	17,8 gram	51 %
Vitamine B_2	0,55 mg	42 %
Vitamine B_6	0,83 mg	55 %
Vitamine B_{11}	206 mcg	69 %
Vitamine C	247 mg	353 %
Vitamine D	0,0 mg	0,0 %
Natrium	600 mg	17 %
Zout	1500 mg	
Calcium	213 mg	25 %
IJzer	9,9 mg	79 %
Magnesium	121 mg	40 %

Bereidingswijze

Verhit voor de pompoensaus de 5 ml olijfolie in een kleine pan.
Bak de pompoen met de knoflook aan en voeg de groentebouillon toe;
stoof de pompoen in circa 15 minuten gaar.
Pureer alles met de staafmixer tot een gladde saus. Breng op smaak
met versgemalen peper en zout en roer het bieslook erdoor.
Verhit een wok met de 10 ml olijfolie en roerbak de courgette, aubergine,
rode ui, knoflook, koriander en paprika 5-7 minuten tot een knapperige
ratatouille. Roer de kikkererwten erdoor en laat ze goed doorwarmen.
Breng de ratatouille op smaak met versgemalen peper en zout.
Schep de kikkererwtenratatouille op een bord en giet de pompoensaus
eroverheen.

FITNESSPROGRAMMA DAG 17

WARMING-UP

5 minuten hoelahoepen en 2 minuten
touwtjespringen

KRACHT

Nieuw: Lunges (uitvalstap)
Opdrukken (herhaling van dag 5)
Sit-ups (herhaling van dag 6)
Superman (herhaling van dag 7 en 8)
Side raises (herhaling van dag 9 en 10)
Biceps curl (herhaling van dag 11 en 12)
Triceps dipping (herhaling van dag 13 en 14)
Calf raises (herhaling van dag 15 en 16)

Uitleg: Lunges (uitvalstap)

Ga rechtop staan met je voeten op heupbreedte
en zet een grote stap met je linkervoet. Hou je
romp recht en zet je handen op je heupen. Buig
door beide benen en breng je lichaam omlaag.
Je steunt nu alleen nog op je tenen, en je voorste
been is maximaal 90 graden gebogen. Adem uit
terwijl je beide knieën buigt. Hou deze houding
enkele seconden vast. Adem in terwijl je je weer
opduwt. Herhaal de oefening met je rechtervoet.
Doe dit 10 keer en herhaal deze oefening
3 keer. Hiermee train je je quadriceps, hamstrings, billen, binnen- en buitenkant van je
bovenbenen.

REK- EN STREKOEFENING

Nieuw: Bovenbeenstretch
Borststretch (herhaling van dag 5)
Buikspierstretch (herhaling van dag 6)
Rug- en bilstretch (herhaling van dag 7 en 8)
Schouderstretch (herhaling van dag 9 en 10)
Bicepsstretch (herhaling van dag 11 en 12)
Tricepsstretch (herhaling van dag 13 en 14)
Kuitstretch (herhaling van dag 15 en 16)

Uitleg: Bovenbeenstretch

Ga rechtop staan met je voeten naast elkaar.
Buig je rechterbeen. Pak met je rechterhand je
rechterenkel vast en breng je hiel naar je billen,
terwijl je je knieën samenhoudt. Je voelt de rek
aan de voorkant van je bovenbeen. Adem rustig
in en uit en hou deze positie 15 seconden vast.
Stretch vervolgens je linkerzijde.
Dit is ook een stabiliteitsoefening. Als je moeilijk je evenwicht kun houden, steun dan tegen
een muur.

DAG 18. DINEER LICHT

Vroeger at men de warme maaltijd tussen twaalf en een uur 's middags. Dat was ook nodig om energie bij te tanken, omdat de fysiek zware werkdag al vroeg in de ochtend begon. In veel landen is de lunch trouwens nog altijd de belangrijkste warme maaltijd. In Nederland is de situatie anders. De voornaamste maaltijd is verschoven naar de avond. Het ontbijt wordt vaak overgeslagen en er is maar tijd voor een lichte lunch. Uit sociaal oogpunt mag de avondmaaltijd nog steeds de belangrijkste maaltijd zijn, maar ze mag niet te veel kilocalorieën bevatten. Een typisch Nederlandse maaltijd bestaat uit gekookte aardappelen, groenten en een stukje vlees. In de winter soms een dikke maaltijdsoep met erwten of bruine bonen. Nederlanders zijn niet echt culinair onderlegd. Gelukkig staan we wel open voor buitenlandse invloeden. Zo leerden we van onze voormalige overzeese gebieden de Indonesische en Surinaamse keuken kennen. En de globalisering beïnvloedde onze keuken ook. We eten pizza, pasta, shoarma, couscous en moussaka. En ook aubergines, paprika's, courgettes, zoete aardappels, maïs en avocado's. Een culinaire verrijking dus.

Terug naar de avondmaaltijd. Een te lichte avondmaaltijd geeft je snel weer honger, waardoor je gaat snoepen en meer kilocalorieën binnenkrijgt dan van een voedzame maaltijd. Daarom moet de avondmaaltijd voedzaam en volumineus zijn, maar niet te hoog in kilocalorieën. Een gezonde warme maaltijd bevat aardappels, zoete aardappels, zilvervliesrijst, volkoren pasta (langzame koolhydraten) met gegrilde of roergebakken groenten en een stukje vlees of vis. Roerbak je groenten in plaats van ze te koken. Roerbakgroenten geven een voldaan gevoel en zitten boordevol vitamines en antioxidanten, terwijl tot moes gekookte groenten weinig voedingsstoffen en smaak leveren. Eet groenten met een hoog vezelgehalte zoals broccoli, wortelen, kikkererwten, linzen, okra en spliterwten. Voeg ook groenten toe met een 'beet' zoals wortelen, selderij of peultjes. Ze zijn allemaal lekker te combineren met zilvervliesrijst of volkoren pasta. Ook bonen zijn heel voedzaam en er zijn veel verschillende soorten: pinto- en adukibonen, kidney beans, black beans en witte bonen. Eet peulvruchten of rijst ter vervanging van aardappelen. Dikke maaltijdsoepen zijn ook goed.

Ze geven snel een verzadigd gevoel, bevatten weinig kilocalorieën en stellen het hongergevoel langer uit.

Gebruik zoveel mogelijk natuurlijke smaakmakers in plaats van zout: kruiden en specerijen, mierikswortel, citroensap, lichte saladedressings, natriumarme ketjap, azijn en mosterd.

En eet zo gevarieerd mogelijk. Wissel af tussen vlees, vis en vegetarisch en combineer groenten met verschillende kleuren.

VOEDINGSMIDDELEN DIE PASSEN BIJ EEN GEZOND EETPATROON

Rode groenten en fruit bevatten hoge gehaltes van lycopeen en anthocyanen, stoffen die de gezondheid bevorderen.

Oranje en gele groente en fruit bevatten hoge gehaltes van de pro-vitamine A carotenoïden.

Groene groenten bevatten veel chlorofyl en antioxidanten.

Alle bovengenoemde stoffen hebben een belangrijke antioxidantwerking. Antioxidanten binden de vrije radicalen die in het lichaam ontstaan bij allerlei stofwisselingsreacties. Vrije radicalen kunnen ook ontstaan bij roken, zonnen (door UV-straling) en bij ontstekingsreacties. Vrije radicalen zijn agressieve stoffen die lichaamsweefsels en het DNA in de cellen kunnen beschadigen.

VARIEER MET KLEUR

Oranje en gele groenten: wortelen, maïs, gele paprika's, pompoen, zoete aardappel (bataat).

Groene groenten: bleekselderij, sla, spinazie, komkommer, courgette, groene paprika, sperziebonen, prei, avocado, boerenkool, bonen, groene asperges, broccoli, spruitjes, okra.

Rode groenten: bieten, radijsjes (als snack), rode paprika, rode ui en tomaten.

Blauwe groenten: aubergine, rode kool.

Witte groenten: bloemkool, witte asperges, prei, paddenstoelen, uien en knoflook.

RECEPT DAG 18 GEBRUIK EEN LICHT DINER,
OOK EEN DIKKE SOEP BEVAT HOOFDZAKELIJK WATER

RIJK GEVULDE DIKKE OOSTERSE TOMATENSOEP

Bereidingstijd

20 minuten

Ingrediënten

50 gram mie

10 ml olijfolie

100 gram kipfilet, in repen

1 teen knoflook

1 theel. sambal badjak

200 gram Chinese roerbakgroenten

2 eetl. ketjap manis

1 eetl. honing

125 ml water

250 ml gezeefde tomatenpassata,

uit een pak

Voedingswaarde		% ADH
Energie	690 kcal	32 %
Eiwit	37,6 gram	68 %
Koolhydraten	91,8 gram	35 %
Vet	17,6 gram	21 %
Voedingsvezels	7,2 gram	21 %
Vitamine B_2	0,11 mg	8,5 %
Vitamine B_6	0,91 mg	61 %
Vitamine B_{11}	51,0 mcg	17 %
Vitamine C	8,3 mg	12 %
Vitamine D	2,5 mg	100 %
Natrium	1844 mg	53 %
Zout	4610 mg	
Calcium	83,7 mg	9,8 %
IJzer	3,6 mg	29 %
Magnesium	99,8 mg	33 %

Bereidingswijze

Kook de mie circa 8 minuten in ruim kokend water net gaar
en giet hem af in een vergiet.

Verhit de olijfolie in een grote pan.

Bak hierin de kipfiletreepjes in circa 2 minuten zachtjes gaar.

Doe er knoflook en sambal bij en smoor alles kort.

Voeg de roerbakgroenten toe en roerbak alles op hoog vuur.

Giet de ketjap, honing, water en tomatenpassata bij kip
en groenten en laat de soep een minuut of vijf zachtjes koken.

Breng op smaak met versgemalen peper en zout.

Voeg ten slotte de mie toe.

WORTEL-POMPOENSOEP

Bereidingstijd

20 minuten

Ingrediënten

10 ml olijfolie

250 gram winterwortel, in blokjes

250 gram pompoenvlees, in blokjes

50 gram ui, fijngesneden

1 dikke teen knoflook, fijngesneden

1 theel. gemalen komijn

500 ml groentebouillon

½ bosje bieslook

Bereidingswijze

Verhit de olijfolie in een grote pan en bak de wortel, pompoen, ui en knoflook in circa 5 minuten zachtjes gaar.

Roer de komijn erdoor en laat alles kort smoren.

Giet de groentebouillon in de pan en laat de soep circa 15 minuten zachtjes koken.

Pureer de soep met een staafmixer glad. Laat hem nog even op het vuur staan.

Roer het bieslook door de soep en breng op smaak met versgemalen peper en zout.

Voedingswaarde		% ADH
Energie	350 kcal	15 %
Eiwit	10,2 gram	18 %
Koolhydraten	38,5 gram	15 %
Vet	14,5 gram	17 %
Voedingsvezels	12,2 gram	35 %
Vitamine B_2	0,3 mg	23 %
Vitamine B_6	0,59 mg	39 %
Vitamine B_{11}	61,0 mcg	20 %
Vitamine C	52,6 mg	75 %
Vitamine D	0,0 mg	0,0 %
Natrium	2017 mg	58 %
Zout	5042 mg	
Calcium	255 mg	30 %
IJzer	11,0 mg	88 %
Magnesium	80,3 mg	27 %

FITNESSPROGRAMMA DAG 18

WARMING-UP

2 x 5 minuten hoelahoepen

Je maakte al kennis met rek- en strekoefeningen voor de belangrijkste spierengroepen. De komende dagen doe je na de warming-up telkens deze rek- en strekoefeningen vóór de krachtoefeningen. En je vervangt om de andere dag een krachtoefening door een nieuwe krachtoefening. Na dertig dagen heb je dan kennisgemaakt met een groot aantal oefeningen die je gemakkelijk thuis kunt uitvoeren. Je kunt de oefeningen opsplitsen in tijdsdelen van 2 keer 15 minuten of 3 keer 10 minuten. Sla ze niet over, maar plan ze in je dagelijkse routine.

REK- EN STREKOEFENING

Borststretch (herhaling van dag 5)

Buikspierstretch (herhaling van dag 6)

Rug- en bilstretch (herhaling van dag 7 en 8)

Schouderstretch (herhaling van dag 9 en 10)

Bicepsstretch (herhaling van dag 11 en 12)

Tricepsstretch (herhaling van dag 13 en 14)

Kuitstretch (herhaling van dag 15 en 16)

Bovenbeenstretch (herhaling van dag 17)

KRACHT

Nieuw: Chest fly (borstoefening)

Sit-ups (herhaling van dag 6)

Superman (herhaling van dag 7 en 8)

Side raises (herhaling van dag 9 en 10)

Biceps curl (herhaling van dag 11 en 12)

Triceps dipping (herhaling van dag 13 en 14)

Calf raises (herhaling van dag 15 en 16)

Lunges (herhaling van dag 17)

Uitleg: Chest fly

Ga op je rug op de grond liggen, met je knieën gebogen en je voeten plat op de grond. Spreid je armen, zodat je lichaam de letter T vormt. Hou de halters vast met je handpalmen naar binnen gekeerd. Adem uit terwijl je de gewichten met licht gebogen armen tot boven je borst brengt tot ze elkaar raken. Adem in terwijl je de gewichten weer terugbrengt naar de beginpositie, maar net boven de grond zodat je spanning op je borstspieren houdt. In gespreide positie moeten de halters, armen en schouders een lijn vormen. Doe dit 10 keer en herhaal de oefening 3 keer. Hiermee train je je borst- en schouderspieren.

DAG 19. EET EENS EEN TOETJE

Verwen jezelf af en toe met een heerlijk toetje (dessert) van gemengd vers fruit met stukjes noot en yoghurt, een stuk donkere chocolade of chocolademousse. Vervang de yoghurt eens door kwark of het verse fruit door gedroogd fruit. Langzame koolhydraten stuwen het serotonine-gehalte omhoog, wat een kalmerend effect heeft en bijdraagt aan een goede nachtrust. Je kijkt er de hele dag naar uit, en het is de ideale afsluiter na hard werken en stress.

PROBIOTICA

Al aan het begin van de vorige eeuw vermoedde men dat melkzuurbacteriën een positief effect hebben op de gezondheid. De Russische professor en microbioloog Elie Metchnikoff (1845-1916) van het Pasteur Instituut in Parijs meende dat er een verband was tussen de hoge consumptie van yoghurt en de hoge levensverwachting van mensen in zijn geboortestreek. Hij onderzocht melkzuurbacteriën in yoghurt en identificeerde als eerste de twee bacteriesoorten die verantwoordelijk waren voor de productie van yoghurt. Metschnikoff beweerde dat melkzuurbacteriën de maag konden passeren en dat ze in de dikke darm de groei van rottingsbacteriën afremden. Daardoor bleven er minder schadelijke rottingsproducten, die gezondheidsproblemen veroorzaken, in de dikke darm zitten.

Ook de Rotterdamse scheikundige en bacterioloog dr. M. Wagenaar schreef in zijn *Encyclopaedie voor Voedings- en Genotmiddelen* uit 1947: 'De bacillen zelf hebben een bijzonderen invloed op de flora in de darmen, speciaal in den dikken darm. Ze worden in het lichaam niet gedood, zoodat ze hun werking in de darmen kunnen voortzetten.' Hij noemde yoghurt 'het conserveermiddel tegen ouderdom', terwijl anderen het hadden over 'the elixer of life'. Waterdichte bewijzen voor deze theorie konden echter niet worden geleverd.

Andere wetenschappers wezen op het feit dat melkzuurbacteriën de vijandige omgeving van de maag, met een hoog zoutzuurgehalte en een pH van ongeveer 2, niet kunnen overleven. Maar aan het einde van de twintigste eeuw werden voedingswetenschappers steeds enthousiaster. Men ontdekte dat sommige stammen van melkzuurbacteriën wel degelijk het vijandige milieu van de maag kunnen overleven. Eenmaal in de darmen, herstellen ze een eventuele onbalans in de aanwezige darmflora en dragen zo bij aan een gezonde darmflora. De meeste ernstige gezondheidsstoornissen gaan samen met een aantasting van de darmflora en slecht werkende darmen. Een gezonde darmflora is dus een vereiste voor een gezond leven. Men ging steeds meer geloven in de mogelijkheden van het gebruik van sommige stammen van melkzuurbacteriën als antwoord op het hoge medicijngebruik. Deze producten, meestal op zuivelbasis, bevatten levende micro-organismen die het agressieve maagzuur overleven. Als ze in de darm terechtkomen, ondersteunen ze de van nature aanwezige darmflora in haar functie. Producten als Biogarde, Fysiq en Yomild zijn yoghurtachtige producten die, in tegenstelling tot gewone yoghurt, met een ander zuursel zijn vervaardigd. De samenstelling van het zuursel verschilt per fabrikant en bevat meestal de volgende melkzuurbacteriën: Streptococcus thermophilus, Lactobacillus bulgaricus, Lactobacillus acidophilus en Bifidobacterium-soorten. Het belang van bifido-bacteriën voor een gezonde darmflora is alom bekend. Deze bacteriën produceren grote hoeveelheden azijnzuur en remmen daarmee de ontwikkeling van schadelijke bacteriën af. Evenals voor yoghurt, geldt ook voor deze yoghurtachtige producten dat bijna alle lactose is omgezet, waardoor mensen met een lactose-intolerantie ze beter kunnen verdragen. Aan sommige van deze producten worden ook nog extra vitamines en voedingsvezels toegevoegd.

Advies: eet minimaal twee keer per week ongepasteuriseerde yoghurt of probiotica om je darmflora in evenwicht te houden.

117

RECEPT DAG 19 GEZONDE TOETJES

EIWITRIJK TOETJE VAN KWARK, FRUIT EN HONING

Bereidingstijd

5 minuten

Ingrediënten

250 gram magere kwark

100 gram diepvriesbramen, ontdooid

1 eetl. honing

Bereidingswijze

Roer de kwark met de ontdooide bramen en honing door elkaar
tot het een glad mengsel is met daarin stukjes braam.

Voedingswaarde		% ADH
Energie	279 kcal	12 %
Eiwit	33,7 gram	61 %
Koolhydraten	28,5 gram	11 %
Vet	2,2 gram	2,6 %
Voedingsvezels	5,2 gram	15 %
Vitamine B_2	0,79 mg	61 %
Vitamine B_6	0,08 mg	5,3 %
Vitamine B_{11}	45,0 mcg	15 %
Vitamine C	20,0 mg	29 %
Vitamine D	0,0 mg	0,0 %
Natrium	104 mg	3,0 %
Zout	260 mg	
Calcium	366 mg	43 %
IJzer	0,9 mg	7,2 %
Magnesium	55,3 mg	18 %

YOGHURT GELATINEPUDDING MET BOSVRUCHTEN

Bereidingstijd
20 minuten

Ingrediënten voor 2 personen
8¾ blaadjes gelatine (15 g)

250 gram verse of diepvriesbosvruchten, ontdooid

sap van 1 limoen met 2 eetl. water

2 eetl. honing

0,5 liter magere yoghurt

Bereidingswijze
Laat de gelatineblaadjes circa 3 minuten in koud water weken.

Meng de ontdooide bosvruchten en de yoghurt met een spatel goed

door elkaar.

Verhit in een pan het limoensap met het water en de honing.

Knijp de gelatineblaadjes goed uit en los ze op in de warme vloeistof,

van het vuur af.

Laat de vloeistof iets afkoelen en roer hem door het yoghurt-

bosvruchtenmengsel.

Laat dit regelmatig roerend afkoelen tot het wat lobbig wordt.

Spoel een puddingvorm van circa 9 dl inhoud om met koud water.

Giet het yoghurtmengsel erin en laat het in de koelkast enkele uren

of tot de volgende dag opstijven.

Zet als de pudding stijf is een bord of platte schaal omgekeerd op

de vorm en keer het geheel in een snelle beweging om, zodat

de pudding op het bord terechtkomt.

Voor een feestelijk resultaat kun je de pudding bestrooien met wat

vers bosfruit en geroosterd amandelschaafsel.

Voedingswaarde		% ADH
Energie	210 kcal	9,0 %
Eiwit	15,3 gram	28 %
Koolhydraten	36,8 gram	14 %
Vet	0,0 gram	0,3 %
Voedingsvezels	0,0 gram	0,0 %
Vitamine B_2	0,51 mg	39 %
Vitamine B_6	0,18 mg	12 %
Vitamine B_{11}	41,5 mcg	14 %
Vitamine C	29,2 mg	42 %
Vitamine D	0,0 mg	0,0 %
Natrium	160 mg	4,6 %
Zout	400 mg	
Calcium	406 mg	48 %
IJzer	1,5 mg	12 %
Magnesium	63,5 mg	21 %

Tip: Als je de pudding de dag van tevoren maakt of als je de pudding niet wil storten, kun je wat minder (ca. 10%) gelatine gebruiken.

ANANAS MET VERSE AARDBEIENSOEP EN MUNT

Bereidingstijd

20 minuten

Ingrediënten

250 gram aardbeien, van kroontje ontdaan

takjes munt

eventueel een beetje honing of poedersuiker

1 eetl. zure room

250 gram verse ananas, in grove stukken

Bereidingswijze

Pureer de aardbeien met wat gesneden muntblaadjes met de
staafmixer; zoet de puree naar smaak licht met honing of poedersuiker.
Giet de aardbeiensoep in een diep bord.
Spuit rondom in de soep 5 kleine dotjes zure room en trek
met een cocktailprikker streepjes vanuit de zureroomdotjes.
Zet de grove stukken ananas in het midden van de soep
en garneer met een klein takje munt.

Voedingswaarde		% ADH
Energie	293 kcal	13 %
Eiwit	4,2 gram	7,6 %
Koolhydraten	54,9 gram	21 %
Vet	4,2 gram	4,9 %
Voedingsvezels	9,5 gram	12 %
Vitamine B_2	0,22 mg	17 %
Vitamine B_6	0,37 mg	25 %
Vitamine B_{11}	190 mcg	63 %
Vitamine C	220 mg	314 %
Vitamine D	0,0 mg	0,0 %
Natrium	23,0 mg	0,7 %
Zout	57,5 mg	
Calcium	148 mg	17 %
IJzer	4,8 mg	38 %
Magnesium	99,0 mg	33 %

WALNOTEN-AARDBEI-KIWIFLIP

Bereidingstijd

10 minuten

Ingrediënten

150 gram magere kwark

mespunt kaneel

1 theel. honing

40 gram walnoten, in stukjes

1 kiwi, in kleine stukjes

100 gram aardbeien, kroontjes verwijderd, in kleine stukjes

Bereidingswijze

Roer de kwark glad met kaneel en honing.

Strooi wat stukjes aardbei in een longdrinkglas en bouw daarop laagjes van een schep kwark met daarop kiwi en walnoten.

Herhaal deze volgorde van laagjes.

De feestelijke en gezonde flip is nu klaar, eet hem met een lange sorbetlepel.

Voedingswaarde		% ADH
Energie	475 kcal	21 %
Eiwit	27,0 gram	49 %
Koolhydraten	28,9 gram	11 %
Vet	26,5 gram	31 %
Voedingsvezels	6,3 gram	18 %
Vitamine B_2	0,66 mg	51 %
Vitamine B_6	0,33 mg	22 %
Vitamine B_{11}	116 mcg	39 %
Vitamine C	120 mg	171 %
Vitamine D	0,0 mg	0,0 %
Natrium	67 mg	1,9 %
Zout	167 mg	
Calcium	312 mg	37 %
IJzer	4,0 mg	32 %
Magnesium	103 mg	34 %

FITNESSPROGRAMMA DAG 19

(Herhaling van dag 18)

WARMING-UP

2 x 5 minuten hoelahoepen

REK- EN STREKOEFENING

Borststretch (herhaling van dag 5)

Buikspierstretch (herhaling van dag 6)

Rug- en bilstretch (herhaling van dag 7 en 8)

Schouderstretch (herhaling van dag 9 en 10)

Bicepsstretch (herhaling van dag 11 en 12)

Tricepsstretch (herhaling van dag 13 en 14)

Kuitstretch (herhaling van dag 15 en 16)

Bovenbeenstretch (herhaling van dag 17)

KRACHT

Chest fly (herhaling van dag 18)

Sit-ups (herhaling van dag 6)

Superman (herhaling van dag 7 en 8)

Side raises (herhaling van dag 9 en 10)

Biceps curl (herhaling van dag 11 en 12)

Triceps dipping (herhaling van dag 13 en 14)

Calf raises (herhaling van dag 15 en 16)

Lunges (herhaling van dag 17)

DAG 20. EET UITGEBALANCEERD

Als je voeding arm is aan noodzakelijke voedingsstoffen, raakt je natuurlijke hormoonbalans verstoord. Ter compensatie wil je lichaam meer eten om de voedingsstoffen aan te vullen, waardoor het verlangen om te grazen toeneemt. Dat verlangen bedwingen helpt je in de strijd tegen overgewicht. Daarom is uitgebalanceerd eten zo belangrijk.

Met uitgebalanceerd bedoelen we gezond én gevarieerd. Veel groenten en fruit in alle kleuren van de regenboog. Er staat trouwens geen limiet op het eten van groenten en fruit. Want hoe meer je ervan eet, hoe gemakkelijker je gewicht verliest. Omdat ze zoveel voedingsstoffen bevatten en zo weinig kilocalorieën, krijg je alle benodigde voedingsstoffen binnen en heb je minder honger. Om dezelfde reden eet je het best zo min mogelijk producten met snelle koolhydraten en industrieel bewerkte voedingsmiddelen met lange ingrediëntenlijsten. Want die bevatten veel calorieën en weinig voedingsstoffen. Gevarieerd betekent ook verschillende soorten vlees, vis en gevogelte. Veel mensen brengen alleen variatie aan in hun warme maaltijd, terwijl lunch en ontbijt altijd hetzelfde zijn. Doorbreek de sleur!

RECEPT DAG 20 EET GEZOND, KLEURRIJK EN GEVARIEERD

BIEFSTUKJE VAN HERT MET PUREE VAN TOPINAMBOER EN ROERGEBAKKEN KAKI MET BOSPADDENSTOELEN

Bereidingstijd

30 minuten

Ingrediënten

150 gram geschilde aardpeer (topinamboer)

2 tenen knoflook, fijngesneden

200 ml amandelmelk

120 gram hertenbiefstuk

10 ml olijfolie

1 verse kaki, in plakken en die in stukjes gesneden

150 gram verse bospaddestoelen (eekhoorntjesbrood,

cantharel, pieds de mouton), in grove stukken

bosje peterselie, fijngesneden

versgemalen peper en zout

Bereidingswijze

Breng de aardpeer aan de kook met de helft van de knoflook en de
amandelmelk en laat in de gesloten pan in 20 minuten heel zachtjes
gaar koken. Pureer de aardpeer meteen met de staafmixer.

Maal wat peper over de hertenbiefstuk.

Verhit een wok op hoog vuur, doe de olijfolie erin en bak de hertenbiefstuk in circa 4 minuten om en om mooi rosé van binnen.

Haal de biefstuk uit de pan en laat even rusten.

Roerbak nu de kaki, bospaddenstoelen en de rest van de knoflook
in de wok op hoog vuur. Maal er tot slot een draai zeezout over en
bestrooi met peterselie.

Schep de aardpeerpuree op een bord en leg de hertenbiefstuk erop.

Schep het paddenstoelen-kakimengsel eroverheen.

Voedingswaarde		% ADH
Energie	599 kcal	27 %
Eiwit	35,1 gram	64 %
Koolhydraten	73,4 gram	28 %
Vet	16,5 gram	19 %
Voedingsvezels	8,0 gram	23 %
Vitamine B_2	1,91 mg	147 %
Vitamine B_6	0,13 mg	8,7 %
Vitamine B_{11}	77,0 mcg	26 %
Vitamine C	132 mg	188 %
Vitamine D	1,6 mg	64 %
Natrium	79,1 mg	2,3 %
Zout	198 mg	
Calcium	324 mg	38 %
IJzer	23,0 mg	184 %
Magnesium	157 mg	52 %

FITNESSPROGRAMMA DAG 20

WARMING-UP

3 x 2 minuten touwtjespringen

REK- EN STREKOEFENING

Borststretch (herhaling van dag 5)

Buikspierstretch (herhaling van dag 6)

Rug- en bilstretch (herhaling van dag 7 en 8)

Schouderstretch (herhaling van dag 9 en 10)

Bicepsstretch (herhaling van dag 11 en 12)

Tricepsstretch (herhaling van dag 13 en 14)

Kuitstretch (herhaling van dag 15 en 16)

Bovenbeenstretch (herhaling van dag 17)

KRACHT

Nieuw: 30 seconden plank

Superman (herhaling van dag 7 en 8)

Side raises (herhaling van dag 9 en 10)

Biceps curl (herhaling van dag 11 en 12)

Triceps dipping (herhaling van dag 13 en 14)

Calf raises (herhaling van dag 15 en 16)

Lunges (herhaling van dag 17)

Chest fly (herhaling van dag 18)

Uitleg: 30 seconden plank

Begin de houding voor opdrukken met het hele lichaam kaarsrecht en volledig gestrekt. Alleen je tenen en je onderarmen rusten op de grond. Leg een horloge of gsm tussen je armen om de tijd bij te houden. Strek je benen achterwaarts met het gewicht op je tenen. Je onderarmen en handpalmen rusten plat op de grond recht onder je schouders (hoek van 90 graden). Steun op je onderarmen en span je buik- en bilspieren aan, zodat je lichaam een lijn vormt van hoofd tot hielen, als een plank. Hou je rug recht en trek je buik in. Blijf rustig in- en uitademen en hou deze houding 30 seconden vast. Hiermee train je je buikspieren, maar omdat je hele lichaam gespannen is, train je ook je borstspieren, schouders, rug, bovenbenen en billen.

DAG 21 EERSTE DAG VAN JE NIEUWE EETPATROON

De komende week geven we je inzicht in het aantal kilocalorieën dat je mag eten, want zelfs met een gezond voedingspatroon kun je nog teveel eten. Je krijgt 8 complete dagmenu's. En je vermindert stap voor stap het aantal kilocalorieën van ruim 2600 naar minder dan 2000. De dagmenu's zijn samengesteld uit alle recepten in het boek met iedere dag een nieuwe hoofdmaaltijd.

Bestudeer de menu's, maak een boodschappenlijstje en haal vandaag nog alle boodschappen in huis voor de komende dagen. Succes en eet smakelijk!

DAGMENU DAG 21

Ontbijt: Vruchtenkwark met muesli	382 kcal
Ochtendsnack: 1,5 snee vijgenbrood	212 kcal
Lunch: Gevulde lunchsalade	629 kcal
Middagsnack: Smoothie banaan	236 kcal
Avondmaaltijd: Oosterse kip	1170 kcal

Totaal:	**2629 kcal**

FITNESSPROGRAMMA DAG 21

(Herhaling van dag 20)

WARMING-UP

3 x 2 minuten touwtjespringen

REK- EN STREKOEFENING

Borststretch (herhaling van dag 5)
Buikspierstretch (herhaling van dag 6)
Rug- en bilstretch (herhaling van dag 7 en 8)
Schouderstretch (herhaling van dag 9 en 10)
Bicepsstretch (herhaling van dag 11 en 12)
Tricepsstretch (herhaling van dag 13 en 14)
Kuitstretch (herhaling van dag 15 en 16)
Bovenbeenstretch (herhaling van dag 17)

KRACHT

30 seconden plank (herhaling van dag 20)
Superman (herhaling van dag 7 en 8)
Side raises (herhaling van dag 9 en 10)
Biceps curl (herhaling van dag 11 en 12)
Triceps dipping (herhaling van dag 13 en 14)
Calf raises (herhaling van dag 15 en 16)
Lunges (herhaling van dag 17)
Chest fly (herhaling van dag 18)

RECEPT DAG 21

OOSTERSE KIP MET NOTEN, ANANAS, GROENTEN, KETJAP, BOSUI EN MIE

Bereidingstijd

30 minuten

Ingrediënten

120 gram kipfilet, in repen

5 ml olijfolie

1 theel. sambal badjak

1 teen knoflook, fijngesneden

15 gram gemberwortel, geraspt

60 gram mienestjes

0,5 theel. gemalen koriander (ketoembar)

1/3 theel. gemalen komijn (djinten)

100 gram verse ananas, in stukjes

50 gram ongezouten ongebrande noten

30 gram geraspte kokos

100 gram gezeefde tomaten uit een pak

50 ml ketjap manis

1 banaan (100 gram), in stukjes

2 bosuien, in ringetjes

Voedingswaarde		% ADH
Energie	1170 kcal	52 %
Eiwit	55,7 gram	101 %
Koolhydraten	122,2 gram	47 %
Vet	48,5 gram	57 %
Voedingsvezels	11,0 gram	31 %
Vitamine B_2	0,3 mg	23 %
Vitamine B_6	1,6 mg	107 %
Vitamine B_{11}	81,0 mcg	27 %
Vitamine C	62,0 mg	89 %
Vitamine D	3,0 mg	120 %
Natrium	2583 mg	74 %
Zout	6457 mg	
Calcium	133 mg	16 %
IJzer	9,2 mg	74 %
Magnesium	283 mg	94 %

Bereidingswijze

Marineer de kipfilet met de olijfolie, sambal, knoflook en gember.

Kook de mie in ruim water in circa 8 minuten gaar, haal de draden los van elkaar.

Giet de mie af in een vergiet en spoel kort af met koud water.

Verhit de wok en bak de gemarineerde kipreepjes zonder toevoeging van olie of vet.

Voeg na circa 3 minuten de ketoembar en djinten, ananas, noten, kokosrasp
en gezeefde tomaten toe en laat even doorkoken.

Voeg nu de ketjap, de banaan en bosui toe en meng goed.

Bak de mie even op en serveer met het kip-ketjapmengsel.

NB Koriander en komijn geven alleen smaak af als ze kort worden verhit.

DAG 22 TWEEDE DAG VAN JE NIEUWE EETPATROON

DAGMENU DAG 22

Ontbijt: Roerei op volkoren granenbrood	370 kcal
Ochtendsnack: Smoothie aardbei	271 kcal
Lunch: Gevulde pastasalade	589 kcal
Avondmaaltijd: Haring met rode bieten	776 kcal
Dessert: Aardbei-walnootflip	475 kcal
Totaal:	**2481 kcal**

FITNESSPROGRAMMA DAG 22

WARMING-UP

2 x 5 minuten hoelahoepen

REK- EN STREKOEFENING

Borststretch (herhaling van dag 5)

Buikspierstretch (herhaling van dag 6)

Rug- en bilstretch (herhaling van dag 7 en 8)

Schouderstretch (herhaling van dag 9 en 10)

Bicepsstretch (herhaling van dag 11 en 12)

Tricepsstretch (herhaling van dag 13 en 14)

Kuitstretch (herhaling van dag 15 en 16)

Bovenbeenstretch (herhaling van dag 17)

KRACHT

Nieuw: Rug- en biloefening

Side raises (herhaling van dag 9 en 10)

Biceps curl (herhaling van dag 11 en 12)

Triceps dipping (herhaling van dag 13 en 14)

Calf raises (herhaling van dag 15 en 16)

Lunges (herhaling van dag 17)

Chest fly (herhaling van dag 18)

30 seconden plank (herhaling van dag 20)

Uitleg: Rug- en biloefening

Ga op je buik liggen met je armen gebogen, rustend op je onderarmen naast je lichaam. Span je billen aan en breng je bovenlichaam een stukje omhoog met je onderrugspieren. Adem uit tijdens deze beweging. Adem vervolgens in en kom weer terug in de beginpositie, tot net boven de grond. Zo hou je nog spanning op je spieren en train je ze doeltreffender. Doe dit 20 keer en herhaal de oefening 3 keer.

Variatie: lig op je rug, breng je billen omhoog en span ze aan.

RECEPT DAG 22

HARING MET RODE BIETEN, SESAMZAAD, APPEL, BALSAMICO-HONINGDRESSING, ROSEVALAARDAPPELEN EN ROZEMARIJN

Bereidingstijd

30 minuten

Ingrediënten

250 gram rosevalaardappels, ongeschild, in grove stukken

1 eetl. olijfolie

1 teen knoflook, fijngesneden

1 hele tak rozemarijn

1 haring

200 gram rode bieten, gekookt

1 appel, in stukjes

1 theel. sesamzaad, geroosterd

Dressing

een beetje mosterd, 1 eetl. balsamicoazijn, 2 eetl. notenolie, honing

Bereidingswijze

Verhit de oven tot 180 °C.

Vermeng de rosevalaardappels in een braadslee of ovenschaal met olijfolie, knoflook en de tak rozemarijn en rooster ze in de hete oven in 20-30 minuten gaar.

Snijd de haring in reepjes en de bietjes in blokjes.

Roer een gladde dressing van de aangegeven ingrediënten en maak de salade ermee aan. Meng de appelstukjes erdoor en strooi de sesamzaadjes erover. Serveer de ovenaardappels op een bord met een schep haring-bietenmengsel ernaast.

Voedingswaarde		% ADH
Energie	776 kcal	33 %
Eiwit	33,2 gram	60 %
Koolhydraten	77,0 gram	30 %
Vet	33,6 gram	40 %
Voedingsvezels	16,5 gram	47 %
Vitamine B_2	0,11 mg	8,5 %
Vitamine B_6	1,75 mg	117 %
Vitamine B_{11}	105 mcg	35 %
Vitamine C	66,7 mg	95 %
Vitamine D	13,0 mg	520 %
Natrium	291 mg	8,3 %
Zout	728 mg	
Calcium	204 mg	24 %
IJzer	5,0 mg	40 %
Magnesium	149 mg	50 %

DAG 23 DERDE DAG VAN JE NIEUWE EETPATROON

DAGMENU DAG 23

Ontbijt: Vruchtenkwark met muesli	382 kcal
Ochtendsnack: 2 sneden vijgenbrood	
en 1 stuk fruit	349 kcal
Lunch: 1 groentewrap	559 kcal
Middagsnack: 8 chocoladevijgen	349 kcal
Avondmaaltijd: Andijviestamppot	
met gehaktbal	745 kcal
Totaal:	**2384 kcal**

FITNESSPROGRAMMA DAG 23

(Herhaling van dag 22)

WARMING-UP

2 x 5 minuten hoelahoepen

REK- EN STREKOEFENING

Borststretch (herhaling van dag 5)

Buikspierstretch (herhaling van dag 6)

Rug- en bilstretch (herhaling van dag 7 en 8)

Schouderstretch (herhaling van dag 9 en 10)

Bicepsstretch (herhaling van dag 11 en 12)

Tricepsstretch (herhaling van dag 13 en 14)

Kuitstretch (herhaling van dag 15 en 16)

Bovenbeenstretch (herhaling van dag 17)

KRACHT

Rug- en biloefening (herhaling van dag 22)

Side raises (herhaling van dag 9 en 10)

Biceps curl (herhaling van dag 11 en 12)

Triceps dipping (herhaling van dag 13 en 14)

Calf raises (herhaling van dag 15 en 16)

Lunges (herhaling van dag 17)

Chest fly (herhaling van dag 18)

30 seconden plank (herhaling van dag 20)

RECEPT DAG 23

RUNDERGEHAKTBALLETJE MET HAVERMOUT EN EI OP AARDAPPEL-PASTINAAKSTAMPPOT MET APPEL EN ANDIJVIE

Bereidingstijd

30 minuten

Ingrediënten voor 4 personen

500 gram mager rundergehakt

1 ei

1 eetl. grove mosterd

80 gram havermout

mespunt nootmuskaat

20 gram kokosolie

1 kilo aardappels, geschild, in stukken

400 gram pastinaak, geschild, in stukken

400 gram andijvie, fijngesneden, gewassen en gecentrifugeerd

1 grote appel, in kleine stukjes

Bereidingswijze

Meng het gehakt met ei, mosterd, havermout en nootmuskaat en maak er 4 grote of 8 kleine gehaktballen van.

Verhit de kokosolie in een braadpan, bak de gehaktballen rondom bruin, voeg een klein scheutje water toe en smoor de ballen met het deksel op de pan gaar.

Zet de aardappels met de pastinaak op in een pan met koud water en kook ze in 20 minuten gaar. Stamp ze fijn met een pureestamper of doe dat voor het mooiste resultaat met een pureeknijper.

Roer krachtig de appel en andijvie door de stamppot en voeg hooguit een vleugje zout toe.

Serveer de stamppot met de gehaktballen.

Voedingswaarde		% ADH
Energie	745 kcal	33 %
Eiwit	36,8 gram	67 %
Koolhydraten	79,7 gram	31 %
Vet	27,2 gram	32 %
Voedingsvezels	17,2 gram	49 %
Vitamine B_2	0,39 mg	30 %
Vitamine B_6	1,23 mg	82 %
Vitamine B_{11}	119 mcg	40 %
Vitamine C	86,3 mg	123 %
Vitamine D	0,25 mg	10 %
Natrium	192 mg	5,5 %
Zout	480 mg	
Calcium	162 mg	19 %
IJzer	4 mg	32 %
Magnesium	90 mg	30 %

DAG 24 VIERDE DAG VAN JE NIEUWE EETPATROON

DAGMENU DAG 24

Ontbijt: Roerei op volkoren granenbrood	370 kcal
Ochtendsnack: 4 chocoladevijgen en fruit	241 kcal
Lunch: Quinoasalade	661 kcal
Middagsnack: Kopje dikke tomatensoep	345 kcal
Avondmaaltijd: Omelet met roerbakgroenten	586 kcal

Totaal:	**2203 kcal**

FITNESSPROGRAMMA DAG 24

WARMING-UP

3 x 2 minuten touwtjespringen

REK- EN STREKOEFENING

Borststretch (herhaling van dag 5)

Buikspierstretch (herhaling van dag 6)

Rug- en bilstretch (herhaling van dag 7 en 8)

Schouderstretch (herhaling van dag 9 en 10)

Bicepsstretch (herhaling van dag 11 en 12)

Tricepsstretch (herhaling van dag 13 en 14)

Kuitstretch (herhaling dag van 15 en 16)

Bovenbeenstretch (herhaling van dag 17)

KRACHT

Nieuw: Front raises (voorwaarts heffen)

Biceps curl (herhaling van dag 11 en 12)

Triceps dipping (herhaling van dag 13 en 14)

Calf raises (herhaling dag van 15 en 16)

Lunges (herhaling van dag 17)

Chest fly (herhaling van dag 18)

30 seconden plank (herhaling van dag 20)

Rug- en biloefening (herhaling van dag 22)

Uitleg: Front raises

Ga rechtop staan met je voeten iets uit elkaar en je armen lichtjes gebogen langs het lichaam. Hou in elke hand een halter voor je bovenbenen, met je handpalmen naar voren. Adem uit terwijl je langzaam je armen voorwaarts omhoog brengt tot op schouderhoogte. Je polsen, onder- en bovenarm vormen een rechte lijn. Je ellebogen blijven tijdens deze oefening licht gebogen. Adem in terwijl je langzaam je armen naar de beginpositie brengt. Doe dit 10 keer en herhaal de oefening 3 keer.

Hiermee train je je schouderspieren.

RECEPT DAG 24

OMELET MET TAUGÉ, NASI GORENG EN XL AAN GROENTEN

Bereidingstijd

15 minuten

Ingrediënten

Voor het eimengsel

2 eieren

1 eiwit

1 theel. sambal

5 gram verse gemberrasp

Voor de vulling

60 gram zilvervliesrijst

50 gram taugé

5 ml olijfolie

250 gram verse Thaise roerbakgroenten

1 teen knoflook, fijngesneden

1 theel. sambal badjak

2 theel. nasikruiden

1 eetl. ketjap manis

Voedingswaarde		% ADH
Energie	586 kcal	28 %
Eiwit	28,4 gram	52 %
Koolhydraten	67,0 gram	26 %
Vet	20,6 gram	24 %
Voedingsvezels	9,4 gram	27 %
Vitamine B_2	0,58 mg	45 %
Vitamine B_6	0,66 mg	44 %
Vitamine B_{11}	124 mcg	41 %
Vitamine C	22,3 mg	32 %
Vitamine D	2,0 mg	80 %
Natrium	758 mg	22 %
Zout	1895 mg	
Calcium	314 mg	37 %
IJzer	4,0 mg	32 %
Magnesium	138 mg	46 %

Bereidingswijze

Meng de ingrediënten voor het eimengsel goed door elkaar en klop ze los.

Kook voor de vulling de zilvervliesrijst met 120 ml water in circa 8 minuten gaar, het toegevoegde water moet nu volledig opgenomen zijn. Laat de rijst nog even staan met het deksel op de pan, maar niet meer op het vuur.

Verhit een wok met antiaanbaklaag.

Bak de taugé zonder olie of vet in de pan en giet het eimengsel erop.

Laat het ei al schuddend aan de pan stollen en schep met een vuurvaste spatel alles naar één kant tot het een omelet is. Kantel de omelet en laat hem op een bord glijden.

Verhit nu 5 ml olijfolie in de wok.

Roerbak de groenten, knoflook, sambal en nasikruiden tot de groenten beetgaar zijn.

Meng daarna met de rijst en de ketjap en schep alles goed door elkaar.

Schep de nasi naast de omelet op een bord.

DAG 25 VIJFDE DAG VAN JE NIEUWE EETPATROON

DAGMENU DAG 25

Ontbijt: Vruchtenkwark met muesli	382 kcal
Ochtendsnack: 1 snee vijgenbrood en 1 stuk fruit	208 kcal
Lunch: 1 Groentewrap	559 kcal
Avondmaaltijd: Lamsstew-wrap	667 kcal
Dessert: Aardbei-ananassoep	293 kcal
Totaal:	**2109 kcal**

FITNESSPROGRAMMA DAG 25

(Herhaling van dag 24)

WARMING-UP

3 x 2 minuten touwtjespringen

REK- EN STREKOEFENING

Borststretch (herhaling van dag 5)

Buikspierstretch (herhaling van dag 6)

Rug- en bilstretch (herhaling van dag 7 en 8)

Schouderstretch (herhaling van dag 9 en 10)

Bicepsstretch (herhaling van dag 11 en 12)

Tricepsstretch (herhaling van dag 13 en 14)

Kuitstretch (herhaling dag van 15 en 16)

Bovenbeenstretch (herhaling van dag 17)

KRACHT

Front raises (herhaling van dag 24)

Biceps curl (herhaling van dag 11 en 12)

Triceps dipping (herhaling van dag 13 en 14)

Calf raises (herhaling dag van 15 en 16)

Lunges (herhaling van dag 17)

Chest fly (herhaling van dag 18)

30 seconden plank (herhaling van dag 20)

Rug- en biloefening (herhaling van dag 22)

RECEPT DAG 25

LAMSSTEW MET WORTEL, UI, SPERZIEBOONTJES, KERRIE, KURKUMA, RODE PAPRIKA, KOKOS IN EEN WARME WRAP

Bereidingstijd

30 minuten

Ingrediënten

10 ml olijfolie

120 gram magere lamsbout, in blokjes

1 teen knoflook, fijngesneden

30 gram rode ui, in ringen

1 flinke theel. kerriepoeder

1 theel. geelwortelpoeder (kurkuma)

100 gram wortel, in dunne reepjes

100 gram sperzieboontjes, afgehaald en 3 minuten geblancheerd

100 gram rode en gele paprika, in repen

1 grote maaltijdwrap

geraspte kokos en pompoenpitten, goudbruin geroosterd

in een droge koekenpan

Bereidingswijze

Verhit de olijfolie in een grote pan en bak het lamsvlees hierin aan.

Voeg knoflook, ui, kerrie en geelwortel toe en smoor alles zachtjes
met het deksel op de pan.

Doe er na circa 15 minuten de wortel, boontjes en paprika bij
en breng op smaak met een klein beetje zout.

Verwarm de wrap kort in de warme oven.

Leg de wrap in een grote kom en vul deze met de lamscurry.

Strooi wat geroosterd kokosraspsel en pompoenpitten over
het geheel.

Voedingswaarde		% ADH
Energie	667 kcal	29 %
Eiwit	34,9 gram	63 %
Koolhydraten	58,1 gram	22 %
Vet	29,4 gram	35 %
Voedingsvezels	15,4 gram	44 %
Vitamine B_2	0,53 mg	41 %
Vitamine B_6	0,87 mg	58 %
Vitamine B_{11}	76,0 mcg	25 %
Vitamine C	215 mg	307 %
Vitamine D	0,0 mg	0,0 %
Natrium	690 mg	20 %
Zout	1725 mg	
Calcium	150 mg	18 %
IJzer	8,0 mg	64 %
Magnesium	85,5 mg	29 %

DAG 26. ZESDE DAG VAN JE NIEUWE EETPATROON

DAGMENU DAG 26

Ontbijt: Roerei op volkoren granenbrood	370 kcal
Ochtendsnack: 50 gram studentenhaver	254 kcal
Lunch: Rodekoolsalade	577 kcal
Middagsnack: 2 rijstwafels met kipfilet en 1 stuk fruit	233 kcal
Avondmaaltijd: Schelvis op tomatenquinoa	566 kcal

Totaal:	**2000 kcal**

FITNESSPROGRAMMA DAG 26

WARMING-UP

2 x 5 minuten hoelahoepen

REK- EN STREKOEFENING

Borststretch (herhaling van dag 5)

Buikspierstretch (herhaling van dag 6)

Rug- en bilstretch (herhaling van dag 7 en 8)

Schouderstretch (herhaling van dag 9 en 10)

Bicepsstretch (herhaling van dag 11 en 12)

Tricepsstretch (herhaling van dag 13 en 14)

Kuitstretch (herhaling van dag 15 en 16)

Bovenbeenstretch (herhaling van dag 17)

KRACHT

Nieuw: Hammer curl (voorkant bovenarmspier oefening)

Triceps dipping (herhaling van dag 13 en 14)

Calf raises (herhaling van dag 15 en 16)

Lunges (herhaling van dag 17)

Chest fly (herhaling van dag 18)

30 seconden plank (herhaling van dag 20)

Rug- en biloefening (herhaling van dag 22)

Front raises (herhaling van dag 24)

Uitleg: Hammer curl

Sta rechtop met je voeten iets uit elkaar en je knieën lichtjes gebogen. Je armen hangen ook licht gebogen langs je lichaam. Pak de halter met een onderhandse greep met de handpalmen naar binnen. Adem uit terwijl je langzaam je armen met een gelijkmatige beweging omhoog brengt. Druk je bovenarmen tegen je lichaam. Hou je bovenlichaam stil en laat het NIET mee zwaaien met de armbeweging. Doe dit 10 keer en herhaal de oefening 3 keer. Hiermee train je je voorste bovenarmspier (biceps).

RECEPT DAG 26

SCHELVIS IN VERSE KRUIDENPESTO GEGAARD IN DE OVEN
MET BLOEMKOOL EN TOMATENQUINOA

Bereidingstijd

30 minuten

Ingrediënten

1 schelvisfilet, ca. 150 gram

versgemalen peper en zeezout

1 theel. Provençaalse kruiden

10 ml olijfolie

250 gram bloemkool, in zeer kleine roosjes

2 bosuien, in ringetjes

20 gram tomatenpuree

20 gram ui, fijngesneden

bosje bladselderij, fijngesneden

150 ml water

60 gram quinoa

extra bosui en bladselderij om te garneren

Voedingswaarde		% ADH
Energie	566 kcal	25 %
Eiwit	45,6 gram	83 %
Koolhydraten	55,6 gram	21 %
Vet	15,2 gram	18 %
Voedingsvezels	12,0 gram	34 %
Vitamine B_2	0,58 mg	45 %
Vitamine B_6	1,17 mg	78 %
Vitamine B_{11}	181 mcg	60 %
Vitamine C	229 mg	327 %
Vitamine D	0,0 mg	0,0 %
Natrium	318 mg	9,1 %
Zout	795 mg	
Calcium	165 mg	19 %
IJzer	8,0 mg	64 %
Magnesium	165 mg	55 %

Bereidingswijze

Verhit de oven tot 180 °C. Vet een ovenschaal dun in met olie.
Snijd de schelvisfilet in repen en meng deze met wat peper en zout,
Provençaalse kruiden, olijfolie, bloemkool en bosui. Doe alles in
de voorbereide schaal en bak het vismengsel 10 minuten in
de hete oven.
Verwarm de tomatenpuree met ui en bladselderij in een pan op
halfhoog vuur en voeg 150 ml water toe, gevolgd door de quinoa.
Breng al roerend aan de kook en laat de quinoa in circa 12 minuten
gaar koken. Al het vocht moet nu zijn opgenomen.
Schep de quinoa op een bord en verdeel het vismengsel eroverheen.
Bestrooi het gerecht met nog wat extra bosui en bladselderij.

DAG 27. ZEVENDE DAG VAN JE NIEUWE EETPATROON

DAGMENU DAG 27

Ontbijt: Vruchtenkwark met muesli	382 kcal
Ochtendsnack: Parmahamhapjes 2 stuks	248 kcal
Lunch: Gevulde lunchsalade	629 kcal
Avondmaaltijd: Rendang van tofu	532 kcal
Dessert: Vruchtenkwark met honing	279 kcal
Totaal:	**2070 kcal**

FITNESSPROGRAMMA DAG 27

(Herhaling van dag 26)

WARMING-UP

2 x 5 minuten hoelahoepen

REK- EN STREKOEFENING

Borststretch (herhaling van dag 5)

Buikspierstretch (herhaling van dag 6)

Rug- en bilstretch (herhaling van dag 7 en 8)

Schouderstretch (herhaling van dag 9 en 10)

Bicepsstretch (herhaling van dag 11 en 12)

Tricepsstretch (herhaling van dag 13 en 14)

Kuitstretch (herhaling van dag 15 en 16)

Bovenbeenstretch (herhaling van dag 17)

KRACHT

Hammer curl (herhaling van dag 26)

Triceps dipping (herhaling van dag 13 en 14)

Calf raises (herhaling van dag 15 en 16)

Lunges (herhaling van dag 17)

Chest fly (herhaling van dag 18)

30 seconden plank (herhaling van dag 20)

Rug- en biloefening (herhaling van dag 22)

Front raises (herhaling van dag 24)

RECEPT DAG 27

RENDANG VAN TOFU MET SUGARSNAPS, PREI, PADDENSTOELEN, RODE UI EN ZILVERVLIESRIJST

Bereidingstijd

30 minuten

Ingrediënten

120 gram tahoe/tofu, in kleine blokjes (je kunt tahoe vervangen door quorn of vegetarische wokreepjes)

1 teen knoflook, fijngesneden

1 theel. sambal badjak

50 gram volkoren basmatirijst

10 ml olijfolie

50 gram rode ui, fijngesneden

100 gram bospaddenstoelen, in vieren

150 gram suikerpeulen (sugarsnaps), afgehaald en 2 minuten geblancheerd

50 gram rode paprika, in stukjes

Bereidingswijze

Marineer de tahoe met de knoflook 5 minuten in de sambal.

Breng in een pan de volkoren basmatirijst in 100 ml water aan de kook en laat hem circa 8 minuten zachtjes koken tot het water is opgenomen. Zet de rijst van het vuur af en laat hem in de gesloten pan staan.

Verhit de wok met de olijfolie en bak de gemarineerde tahoe mooi krokant bruin.

Voeg de ui en bospaddenstoelen toe, schud alles snel om en roerbak de paddenstoelen.

Doe de suikerpeulen en de rode paprika in de pan en roerbak snel. Serveer het geheel over de basmatirijst.

Voedingswaarde		% ADH
Energie	532 kcal	23 %
Eiwit	25,1 gram	46 %
Koolhydraten	54,7 gram	21 %
Vet	19,5 gram	23 %
Voedingsvezels	18,5 gram	53 %
Vitamine B_2	1,35 mg	104 %
Vitamine B_6	0,94 mg	63 %
Vitamine B_{11}	178 mcg	59 %
Vitamine C	138 mg	197 %
Vitamine D	0,0 mg	0,0 %
Natrium	223 mg	6,3 %
Zout	558 mg	
Calcium	371 mg	44 %
IJzer	4,2 mg	34 %
Magnesium	255 mg	85 %

DAG 28. ACHTSTE DAG VAN JE NIEUWE EETPATROON

DAGMENU DAG 28

Ontbijt: Roerei op volkoren granenbrood	370 kcal
Ochtendsnack: Halve groentewrap	280 kcal
Lunch: Kop wortelpompoensoep	350 kcal
Middagsnack: 1 rijstwafel	
met kipfilet en fruit	150 kcal
Avondmaaltijd: Casselerrib	498 kcal
Dessert: 1 portie vruchtenyoghurtpudding	210 kcal

Totaal:	**1858 kcal**

FITNESSPROGRAMMA DAG 28

WARMING-UP

2 X 5 minuten hoelahoepen en 3 x 2 minuten touwtjespringen

REK- EN STREKOEFENING

Borststretch (herhaling van dag 5)

Buikspierstretch (herhaling van dag 6)

Rug- en bilstretch (herhaling van dag 7 en 8)

Schouderstretch (herhaling van dag 9 en 10)

Bicepsstretch (herhaling van dag 11 en 12)

Tricepsstretch (herhaling van dag 13 en 14)

Kuitstretch (herhaling van dag 15 en 16)

Bovenbeenstretch (herhaling van dag 17)

KRACHT

Nieuw: One arm kick-back (tricepsoefening)

Calf raises (herhaling van dag 15 en 16)

Lunges (herhaling van dag 17)

Chest fly (herhaling van dag 18)

30 seconden plank (herhaling van dag 20)

Rug- en biloefening (herhaling van dag 22)

Front raises (herhaling van dag 24)

Hammer curl (herhaling van dag 26)

Uitleg: One arm kick-back

Steun met je hand en je onderbeen op een bank of keukenstoel. Zorg dat je een rechte rug hebt en dat alle hoeken 90 graden zijn. Met je andere voet steun je op de grond, je knie licht gebogen. Neem een halter en breng je bovenarm naast je lichaam en je onderarm in een hoek van 90 graden. Adem uit en strek je elleboog uit. Je bovenarm blijft tijdens deze beweging tegen je lichaam gedrukt. Ga langzaam terug naar de beginpositie. Doe dit 10 keer en wissel vervolgens van zijde. Herhaal de oefening 3 keer per kant. Hiermee train je je achterste bovenarmspier (triceps).

RECEPT DAG 28

CASSELERRIB MET ZUURKOOL, AARDAPPELPUREE EN CRANBERRYSAUS

Bereidingstijd

30 minuten

Ingrediënten

200 gram aardappels, geschild

200 gram zuurkool

120 gram verse casselerrib, in dikke plakken

200 gram verse cranberry's

1 eetl. suiker

1 eetl. honing

Bereidingswijze

Doe de aardappels in een pan, overgiet ze voor driekwart met water en leg de zuurkool erop; breng aan de kook.

Leg na circa 15 minuten de plakken casselerrib op de zuurkool.

Was intussen de cranberry's en doe ze met aanhangend water in een pan.

Voeg meteen de suiker en honing toe, breng aan de kook en laat de cranberry's tot een compote koken.

Haal de casselerrib uit de pan.

Stamp zuurkool en aardappels met voldoende aanhangend vocht mooi smeuïg.

Zet een schep stamppot op een bord, leg er een plak casselerrib bij en maak het af met een flinke schep cranberrycompote.

Voedingswaarde		% ADH
Energie	498 kcal	22 %
Eiwit	33,6 gram	61 %
Koolhydraten	64,5 gram	25 %
Vet	7,8 gram	9,2 %
Voedingsvezels	17,6 gram	50 %
Vitamine B_2	0,32 mg	25 %
Vitamine B_6	1,39 mg	93 %
Vitamine B_{11}	68,0 mcg	23 %
Vitamine C	116 mg	32 %
Vitamine D	0,0 mg	0,0 %
Natrium	2410 mg	69 %
Zout	6025 mg	
Calcium	168 mg	20 %
IJzer	4,0 mg	32 %
Magnesium	94,0 mg	31 %

DAG 29. DIT HEB JE GELEERD

Je bent er bijna! We vatten de belangrijkste lessen samen zodat je je gemakkelijker aan de afspraken kunt houden.

CHECKLIST AFSPRAKEN

- Drink een glas water voor elke maaltijd
- Sla geen maaltijden over
- Plan je maaltijden zorgvuldig
- Neem tijd om te eten
- Pas je porties aan
- Schep maar een keer op
- Eet dagelijks twee stuks fruit of verwerk het in je eten
- Neem de trap in plaats van de lift
- Parkeer je auto verderop, wandel tijdens je lunchpauze, en neem vaker de fiets
- Bewaar alleen gezonde producten in je koelkast, diepvries en voorraadkast
- Maak een boodschappenlijstje en hou je eraan
- Laat je niet verleiden in de winkel en vermijd impulsaankopen

---

SAMENVATTING TRAININGSSCHEMA
WARMING-UP

Binnen: touwtjespringen of hoelahoepen

Buiten: 15 minuten wandelen of fietsen

OEFENINGEN

Spiergroep	Rek- en strekoefening	Krachtoefening	Herhalingen/aantal
Benen	Zittende hamstringstretch	Squat	3 x 10
Benen	Bovenbeenstretch	Lunges	3 x 10
Rug en bil	Rug- en bilstretch	Rug- en biloefening	3 x 20
Rug en bil	Rug- en bilstretch	Superman	3 x 20
Borst	Borststretch	Opdrukken 1 of 2	2 x 10 of 2 x 5
Borst	Borststretch	Chest fly	3 x 10 1 of 2 kg
Schouders	Schouderstretch	Side raises	3 x 10 1 of 2 kg
Schouders	Schouderstretch	Front raises	3 x 10 1 of 2 kg
Biceps	Bicepsstretch	Biceps curl	3 x 10 1 of 2 kg
Biceps	Bicepsstretch	Hammer curl	3 x 10 1 of 2 kg
Triceps	Tricepsstretch	Triceps dipping	3 x 10
Triceps	Tricepsstretch	One arm kick-back	3 x 10 1 of 2 kg
Kuiten	Kuitstretch	Calf raises	3 x 15 1 of 2 kg
Buikspieren	Buikspierstretch	Sit-ups	3 x 10
Buikspieren	Buikspierstretch	Plank	3 x 30 sec.

DAG 30. **EVALUEER**

Als je het programma hebt gevolgd, voel je
je nu al stukken beter. Je werkte hard om je
eet- en leefgewoontes te veranderen en met het
merendeel van die regels kun je niet 'marchan-
deren'. Ze geven je houvast om de juiste keuzes
te maken.

Gezond eten is lastiger en moeilijker vol te
houden dan toegeven aan de verleidingen
van snoep, gebak of junkfood. Je vraagt je nu
misschien af hoe het verder moet en of je niet
in een zwart gat valt. Misschien zelfs terugvalt
in oude patronen. We hebben je tenslotte dertig
dagen bij de hand genomen en verteld wat je
moest doen en laten. Vanaf nu sta je er alleen
voor. Het is aan jou om de opgedane kennis toe
te passen en voor de rest van je leven gezonde
eetgewoontes te hanteren.

Heb geduld en wees waakzaam voor valkuilen.
Er komt ongetwijfeld een moment dat je weer
kiest voor een minder gezond eet- of leefpatroon. Het is bijna onvermijdelijk dat ongezonde voedselkeuzes je eetpatroon binnensluipen:
vakanties, feestelijke gebeurtenissen, stress op
het werk, nare familieomstandigheden… Stuk
voor stuk momenten waarop je gemakkelijk
vervalt in oude gewoontes. Vooral als die, net als
de verleidingen van ongezond voedsel, moeilijk
te weerstaan zijn. Waarom? Omdat het lekker is
en omdat de verleidingen te groot zijn.

Het is dus belangrijk dat je leert met deze
verleidingen om te gaan. Dat betekent niet dat
je nooit mag genieten van een patatje met mayonaise of een gebakje. Maar maak er geen gewoonte van, want voor je het weet, val je terug
in je ongezonde eetpatroon. Wees je bewust van
de verleidingen en maak een kritische afweging.
We geven je graag nog een aantal tips om gemakkelijker het hoofd te bieden aan de valkuilen. Geef je je toch eens over aan een zonde?
Geniet er dan van. Ga er lekker voor zitten,
eet langzaam met kleine hapjes, kauw goed en
geniet van de geur en de smaak. Zo geef je je
lichaam de kans om verzadigd te geraken en te
stoppen voordat de hele schaal met chips, koekjes of bonbons leeg is.

Gedurende de afgelopen dertig dagen heb je het
fundament gelegd voor gezonde eet- en leefgewoontes voor de rest van je leven. Zelfs als je je
oude leef- en eetgewoontes niet kunt veranderen
in een maand, heb je nu wel de handvaten om
te slagen. Wees je ervan bewust dat dit geen dieet is, maar een manier van leven. En herlees op
moeilijke momenten de regels, te beginnen bij
dag 1. Herontdek het plezier dat je beleeft aan
lekker en gezond eten. Je zult zien: na verloop
van tijd worden de periodes van terugval korter
en de gezonde periodes langer.

Deel je ervaringen met familie en vrienden.
Overtuig hen om ook dezelfde weg op te gaan.
Zo motiveer en stimuleer je elkaar. En jij bent
het levende bewijs van de voordelen. Want over
een paar maanden ben je slanker en energieker.
Je huid en haren glanzen. En bovenal: je straalt
van levenslust.

MET DANK AAN

Dank ben ik verschuldigd aan Peggy, Brenda en Erik. Zij hebben een bijzondere bijdrage geleverd aan de realisatie van dit boek. Ieder vanuit zijn eigen discipline en op hun eigen manier zijn ze dagelijks bezig mensen te onderwijzen in het belang van goede voeding en een gezonde levensstijl.

Peggy Van der Auwera

Kennis overbrengen in het geschreven woord is een vak apart. Hierbij heb ik de hulp gekregen van Peggy, die de titel licentiaat vertaler (Nederlands/Engels/Italiaans) achter haar naam heeft staan. Ik heb haar leren kennen als iemand die verzot is op taal. In 2011 kwam ze tot de conclusie dat haar baan als allround marketeer haar onvervuld liet, dus startte ze haar eigen copywriting- en vertaalbureau: Prêt-à-écrire. Ze schrijft, herschrijft en redigeert. Met een pen gedoopt in ervaring en een ontembare liefde voor het geschreven woord, verandert ze vlot ingewikkelde technische teksten in makkelijk leesbare, zonder ze geweld aan te doen.

Brenda Frunt

Een boek over het veranderen van je eet- en leefpatroon kan niet zonder adviezen over bewegen. Het in het boek opgenomen bewegingsprogramma is ontwikkeld door Brenda Frunt. Al van jongs af aan was Brenda actief in verschillende takken van sport. Tijdens de opleiding CIOS Sport & Bewegen is haar interesse op het gebied van voeding gewekt. Nadat ze het CIOS had afgerond is ze de opleiding Voeding & Diëtetiek gaan volgen. De specialisatie sportdiëtetiek was een logisch vervolg. Als diëtist geeft Brenda via haar bedrijf De Voedingsacademie professioneel advies op het gebied van voeding en gedrag in relatie tot ziekte en gezondheid, waarbij de nadruk wordt gelegd op een combinatie van voeding, beweging, ontspanning en leefstijl. Samen met Erik te Velthuis heeft ze voedingsplannen ontwikkeld afgestemd op de trainingen en de leefstijl van (top) sporters.

Erik te Velthuis

Erik, gespecialiseerd in voeding voor topsporters en verantwoordelijk voor alle recepten in het boek, heeft meer dan 20 jaar ervaring als chef-kok op het Nationaal Sportcentrum Papendal. Eten moet, naast gezond, vooral lekker zijn! Dat is voor Erik de belangrijkste drijfveer om steeds nieuwe recepten te ontwikkelen voor de sporter, vertaald naar de wereld van de functionele voeding. Goede voeding houdt het lichaam gezond en levert de brandstof voor topprestaties. In het topsportrestaurant Papendal, waar Erik de scepter zwaait, wordt deze visie op unieke wijze in de praktijk gebracht.

Ik ben ze dankbaar voor hun deskundig advies en commentaar.

BIJLAGEN DIVERSE TABELLEN

TABEL 1. GEMIDDELD ENERGIEVERBRUIK BIJ VERSCHILLENDE ACTIVITEITEN

Gemiddeld energieverbruik bij verschillende activiteiten bij een gemiddeld gewicht van 75 kilo voor de man en 65 kilo voor de vrouw.*

dagelijkse activiteiten	energieverbruik (kcal/kg/uur)	energieverbruik/uur		energieverbruik/minuut	
		man	vrouw	man	vrouw
Slapen, liggen	0,95	71	62	1,2	1,0
Wassen, aankleden	2,5	188	163	3,1	2,7
Eten/drinken	1,5	112	98	1,9	1,6
Zitten, tv-kijken	1,1	82	71	1,4	1,2
Staan	1,3	97	84	1,6	1,4
Lopen, wandelen (3km/uur)	2,7	202	175	3,4	2,9
Traplopen	7,0	525	455	8,8	7,6
Fietsen (15 km/uur)	5,5	412	357	6,9	6,0
Autorijden	2,5	187	162	3,1	2,7
Licht huishoudelijk werk	2,4	180	156	3,0	2,6
Zwaar huishoudelijk werk	3,5	262	227	4,4	3,8
Licht werk (kantoor)	2,2	165	143	2,8	2,4
Halfzwaar werk (fabriek)	3,5	262	227	4,4	3,8
Zwaar werk (bouw)	7,5	562	487	9,4	8,1
Buiten spelen (kinderen)	6,5	487	422	8,1	7,0
Binnen spelen (kinderen)	1,5	112	97	1,9	1,6
Tuinieren	5,0	375	325	6,3	5,4

sportieve activiteiten	energieverbruik	energieverbruik/uur		energieverbruik/minuut	
	(kcal/kg/uur)	man	vrouw	man	vrouw
Aerobics	6,0	450	390	7,5	6,5
Wandelen (5 km/uur)	4,0	300	260	5,0	4,3
Hardlopen (10 km/uur)	9,0	675	585	11,3	9,8
Fietsen (25 km/uur)	11,0	825	715	13,8	11,9
Paardrijden (recreatief)	3,5	262	227	4,4	3,8
Fitness	5,0	375	325	6,3	5,4
Touwtjespringen	8,0	600	520	10,0	8,7
Vechtsporten (judo, karate e.d.)	10	750	650	12,5	10,8
Voetbal	7,5	562	487	9,4	8,1
Hockey	7,5	562	487	9,4	8,1
Badminton	4,4	330	286	5,5	4,8
Squash	11,5	863	748	14,4	12,5
Tennis	7,0	525	455	8,8	7,6
Tafeltennis	4,0	300	260	5,0	4,3
Volleybal	3,2	240	208	4,0	3,5
Basketbal	6,0	450	390	7,5	6,5
Handbal	8,0	600	520	10,0	8,7
Skiën	8,0	600	520	10,0	8,7
Schaatsen	7,5	562	487	9,4	8,1
Zwemmen	5,2	390	338	6,5	5,6
Surfen	3,0	225	195	3,8	3,3
Skateboarden	4,5	338	293	5,6	4,9
Turnen	4,0	300	260	5,0	4,3
Dansen (stijldansen)	5,0	375	325	6,3	5,4
Dansen, ballet (disco, jazz)	6,5	488	422	8,1	7,0

*ontleend aan een grote verscheidenheid aan bronnen

Body Mass Index (BMI)

Er zijn verschillende methoden om lichaamsvet te meten en zo per individu het ideale of gewenste gewicht te bepalen: meten van het gewicht, de lichaamsomtrek van diverse lichaamsdelen en de dikte van huidplooien op verschillende plaatsen van het lichaam en de elektrische weerstand. Op basis van deze technieken is een eenvoudige methode ontwikkeld om te bepalen of iemand te dik of te mager is. De formule om te bepalen of je het juiste gewicht hebt, heet de Body Mass Index (BMI)

De Body Mass Index wordt berekend door het naakte lichaamsgewicht te delen door het kwadraat van de lichaamslengte gemeten op blote voeten.

$$\text{Body Mass Index} = \frac{\text{Lichaamsgewicht (in kilo)}}{\text{Lichaamslengte} \times \text{lichaamslengte (in meter)}}$$

Rekenvoorbeeld :   lichaamslengte is 1,75 meter en het lichaamsgewicht is 75 kilo.

$$\text{Body Mass Index} = \frac{75}{1,75 \times 1,75} = \frac{75}{3,0625} = 24,5$$

Beoordeling van de Body Mass Index:

Body Mass Index	beoordeling
< 18,5	ondergewicht (te mager, verhoogd gezondheidsrisico)
18,5 – 25	gezond, normaal gewicht
25,1 – 27	neiging tot overgewicht
27,1 – 30	licht overgewicht (graad 1)
30,1 – 40	ongezond overgewicht, vetzucht, obesitas (graad 2)
> 40	zeer ongezond overgewicht, morbide obesitas (graad 3)

Tabel Aanbevolen Dagelijkse Hoeveelheden (ADH) vitamines en mineralen

Categorie	jonge kinderen	kinderen	mannen	vrouwen	zwangere	ouderen	**gemiddeld m/v ***
Leeftijd	0 – 3 jaar	3 – 18 jaar	18 – 70 jaar	18 – 65 jaar		> 65 jaar	**18 – 65 jaar**
Vitamines							
A (mcg RE**)	400 – 450	500 – 1000	1000	800	1000	800 – 1000	
B1 (mg)	0,2	0,5 – 0,8	1,1	1,1	1,4	1,1	
B2 (mg)	0,4	0,7 – 1,0	1,5	1,1	1,4	1,1 – 1,5	**1,30**
B6 (mg)	0,1 – 0,2	0,7 – 1,1	1,5	1,5	1,9	1,5 – 1,8	**1,50**
B11(mcg fol)	50 – 60	150 – 225	300	300	400	300	**300**
B12 (mcg)	0,4 – 0,5	1,3 – 2,0	2,8	2,8	3,2	2,8	
C (mg)	34 – 35	45 – 55	70	70	90	70	**70**
D (mcg)	5	2,5	2,5	2,5	7,5	12,5 – 15,0	**2,5**
E (mcg)	2,9 – 3,6	7,1 – 10,1	11,8 – 13,0	9,3 – 9,9	10,5	8,3 – 9,4	
Mineralen							
Natrium	Geen officiële ADH, maar een gebruik van maximaal 3,5 gram natrium wordt geadviseerd						**3500**
Kalium	Geen officiële ADH, maar 2 – 6 gram kalium per dag wordt geadviseerd						
Calcium (mg)	200 – 450	700 – 1100	700 – 1000	700 – 1000	900 – 1000	1200	**850**
Fosfor (mg)	35 – 50 ***	400 – 1800	700 – 1400	700 – 1400	800 – 1600	700 – 1150	
Magnesium (mg)	35 – 60	90 – 185	300 – 350	250 – 300	300 – 350	250 – 350	**300**
IJzer (mg)	5 – 7	7 – 8	9 – 11	15 – 16	11 – 14	8 – 9	**12,5**
Koper (mg)	0,3 – 0,5	0,5 – 2,5	1,5 – 3,5	1,5 – 3,5	2,0 – 3,5	1,5 – 3,5	
Zink (mg)	4	5 – 7	10	9	12 – 15	9 – 10	

(*) Gemiddelde ADH-waardes gebruikt bij berekening van de recepten
(**) RE = Retinolequivalenten
(***) in mg/kg lichaamsgewicht/dag

Bron: Richtlijn (1992, 2000, 2003) van de Commissie Voedingsnormen van de Gezondheidsraad.

TABEL 4. ADH ENERGIELEVERENDE VOEDINGSSTOFFEN

Tabel Aanbevolen Dagelijkse Hoeveelheden voedingsstoffen (ADH)

Niemand is hetzelfde en ook de behoefte aan energie en voedingsstoffen verschilt sterk van mens tot mens. Om toch een idee van hoeveelheden te krijgen, geeft de onderstaande tabel aan hoeveel een mens gemiddeld per dag nodig heeft. Deze getallen gelden alleen bij een geringe lichamelijke activiteit. Denk hierbij aan beroepen als administratief medewerker, chauffeur, winkelpersoneel, huishoudelijk werk, onderwijzers... Bij beroepsgroepen waarvan het werk fysiek intenser is, kunnen aan de tabel de volgende hoeveelheden worden toegevoegd:

* Voor middelzwaar werk: + 600 kcal,
* Voor zwaar werk: + 1200 kcal
* Voor bijzonder zwaar werk: + 1600 kcal

Per dag:	energie kcal (kJoule)	eiwit gram	vet gram	verzadigd vet gram	koolhydraten gram	vezels gram
Gemiddeld m/v *)						
18 – 65 jaar	2250	55	85	-	260	35
Vrouwen						
9 – 13 jaar	2270 (9500)	37	75	25	255	
14 – 18 jaar	2480 (10400)	49	83	27	248	
19 – 30 jaar	2440 (10200)	52	81	27	244	
31 – 50 jaar	2320 (9700)	50	77	25	232	
51 – 70 jaar	2150 (9000)	52	72	24	215	
Ouder dan 70 jaar	1860 (7800)	51	62	21	186	
Mannen						
9 – 13 jaar	2530 (10600)	36	84	28	285	
14 – 18 jaar	3340 (14000)	56	111	37	334	
19 – 30 jaar	3080 (12900)	61	103	34	308	
31 – 50 jaar	2910 (12200)	59	97	32	291	
51 – 70 jaar	2630 (11000)	60	88	29	263	
Ouder dan 70 jaar	2220 (9300)	60	74	25	222	

* Gemiddelde ADH-waardes gebruikt bij berekening van de recepten.
Bron: *Voedingsnormen: energie, eiwitten, vetten en verteerbare koolhydraten.* Gezondheidsraad (juni 2002).

TABEL 5. GLYKEMISCHE INDEX DIVERSE VOEDINGSMIDDELEN

Glykemische index (GI) van koolhydraten uit diverse voedingsmiddelen

Onder snelle koolhydraten worden verstaan koolhydraten met een GI van meer dan 70. Complexe, langzame koolhydraten hebben een GI van 50 of lager.

100 %	80 - 95 %	70 - 79 %	60 – 69 %	50 – 59 %
glucose	aardappelpuree	suiker	bruinbrood	erwtjes
bier (maltose)	cornflakes	witte rijst	banaan, meloen, druif	zilvervliesrijst
	snelkookrijst	witte tarwebloem	koekjes	volkoren pasta
	frites, chips	maïs, gierst	rozijnen	honing
	instant havermoutpap	candybars	rode biet	maïstortilla
	gekookte aardappels	witbrood	pasta's	havermout
	pizza Margherita	Watermeloen	muesli	quinoa
		Zoete aardappel, bataat	cornflakes	consumptie-ijs
			couscous	druiven
			banaan	

40 – 49 %	30 – 39 %	20 – 29 %	10 – 19 %
bruine bonen	vers fruit	fructose	sojabonen
vers vruchtensap	melkproducten	bruine/witte bonen	pinda's
appelsap	tarwetortilla	grapefruit	kikkererwten
gedroogde dadels	kikkererwten	linzen	verse groente
volkorenbrood	rauwe wortelen	bittere chocolade	tomaten, aubergines,
roggebrood	tomatensap	sperziebonen	courgettes, uien, knoflook
ontbijtgranen			hummus
bulghur			

Bron: 'International table of Glycemic Index', Foster-Powell e.a., *Am. Journal Clinical Nutrition* (2008).

Soort	Aantal	kg	Dag 4	Dag 5	Dag 6	//enz.//	Dag 27	Dag 28
Squat	3 x 10							
Opdrukken 1								
Opdrukken 2	2 x 10							
2 x 5								
Sit-ups	3 x 10							
Superman	3 x 20							
Side raises	3 x 20	2 - 3						
Biceps curl	3 x 10	2 - 3						
Triceps dipping	3 x 10							
Calf raises	3 x 15	2 - 3						
Lunges	3 x 10							
Chest fly	3 x 10	2 - 3						
30 seconden plank	3 x 30s							
Rug- en biloefening	3 x 20							
Front raises	3 x 10	2 - 3						
Hammer curl	3 x 10	2 - 3						
One arm kick-back	3 x 10	2 - 3						

TABEL 7. VOORBEELD VOEDINGSDAGBOEK

Maandag: ....   Dinsdag: ....   enz...

tijdstip	wat	hoeveel	emotie	wat	hoeveel
Ontbijt	Volkorenbrood	2 sneetjes			
07:30h	Margarine	light, dun			
	Kaas	1 plak jong			
	Jam	dik gesmeerd			
	Melk	1 glas 150 ml			
Tussendoortjes	Koffie (melk/	2 kopjes			
10:00h	suiker)	2 klontjes			
	Koekje	1			
	Appel	1			
Lunch	Volkorenbrood	3 sneetjes			
12:00h	Margarine	light, dun			
	Kaas	3			
	Vlees	1			
	Halfvolle melk	2 glazen 150 ml			
Tussendoortjes	Koffie (melk/	1 kopje			
16:00h	suiker)	1 klontje			
	Cup-a-soup	1 kop			
Avondeten	Aardappelen	2			
18:00h	Spinazie	2 opscheplepels			
	Kipfilet	100 g			
	Jus	1 juslepel			
	Vanillevla	1 schaaltje			
	Wijn	1 wijnglas			
Avondsnack	Koffie (melk/	2			
20:00h	suiker)	2 klontjes			
	Pilsje	1 flesje			
	Chips	1/3 zak			

ZAKENREGISTER

RECEPTENREGISTER

COLOFON

Dit boek is een uitgave van Fontaine Uitgevers BV, Hilversum
www.fontaineuitgevers.nl

Tekst en concept: Frans de Jong
Tekstredactie: Marja Duin
Culinaire redactie: Hennie Franssen
Receptuur: Erik te Velthuis
Bewegingsprogramma: Brenda Frunt
Vormgeving en illustratie: Natasha Tastachova

© 2015 Fontaine Uitgevers BV

ISBN 978 90 5956 559 9
NUR 443

Deze uitgave is met de grootst mogelijke zorgvuldigheid samengesteld. Noch de
maker, noch de uitgever stelt zich echter aansprakelijk voor eventuele schade als
gevolg van eventuele onjuistheden en/of onvolledigheden in deze uitgave.